예배를 확 바꿔라

TRANSITIONS IN WORSHIP

by Andy Langford

전통과 현대를 아우르는 33가지 새로운 제안

예배를 확 바꿔라

앤디 랑포드 지음 | 전병식 옮김

Transitions In Worship

Moving from Traditional to Contemporary

kmc

한국 독자들에게

우리의 구원자이신 예수 그리스도의 이름으로 문안드립니다. 하나님께 드리는 예배에는 여러 가지 다양한 방법들이 있습니다. 저는 한국의 기독교인들이 자신들의 독특한 예배 전통을 세워 나가고, 자신들의 문화를 반영하며, 새로운 세대와 그리스도를 나누어 가면서, 복음을 전달하는 가장 효과적인 방법들을 발전시켜 나가기를 기원합니다. 기도하면서 여러분과 함께 하겠습니다.

앤디 랑포드

역자 서문

이 책을 번역한 이유는 네 가지입니다.

첫째, 시의성입니다. 오늘날 한국 교회는 예전적인 예배의 도입과 더불어, 찬양 예배나 구도자 예배와 같은 새로운 형태의 예배에 관해 많은 관심을 보여 왔지만 제대로 된 지침서를 찾기가 어려웠습니다. 이 책의 저자는 예전적인 예배, 찬양 예배, 구도자 예배를 쉽고 명확하게 설명하면서, 각 교회의 상황과 처지에 맞는 창조적인 예배 형식을 시도해 보라고 권고합니다(그러나 동시에 저자는 하나님의 말씀, 성례전, 기도, 공동체의 교제라는 예배의 근본 요소들이 소홀히 다루어져서는 안 된다고 강조합니다). 한국 교회의 상황에서 예배의 세 가지 유형 모두 아직은 낯선 감이 없지 않으나, 최근 들어 이에 대한 관심이 점증한다는 점에서 이 책은 적절한 정보를 우리에게 제공해 줄 것입니다.

둘째로 감리교회를 위한 것이면서 동시에 초교파 교회를 위한 책입니다. 이 책의 저자는 연합감리교회의 목사로서, 「개정판 공동 성서 일과」(The Revised Common Lectionary)의 편집자이며 「연합감리교회 예배서」(The United Methodist Book of Worship)의 수석 편집위원이었습니다. 그는 또한 「기독교인의 결혼식」(Christian Weddings)과 「예배를 위한 청사진」(Blueprints for Worship) 등 예배에 관한 여섯 권의 책을 저술한 감리교회 예배의 권위자이기도 합니다. 따라서 이 책을 읽다 보면 그의 감리교회 배경을 자연스럽게 느낄 수 있습니다. 그러나 이 책은 결코 감리교인만을 위한 책이 아닙니다. 이 책을 여는 순간 기독교인이라면 누구라도 읽고 공감할 수 있는 부분으로 가득 차 있음을 알 수 있을 것입니다.

셋째로, 쉽습니다. 예배학 관련 서적들이 점점 더 전문화되어 가는 추세라 실제로 예배를 인도하고 참여하는 목회자들이나 평신도들이 읽기에 부담스러운 책들이 많아졌습니다. 이 책의 저자인 랑포드는 누구나 읽을 수 있는 간결하고 쉬운 필체로 현대 예배의 동향을 명쾌하게 설명해 줍니다. 이 글에서 '현대, 동시대'의 뜻을 가진 단어 'contemporary'는 보다 정확히는 '최근' 또는 '지금'의 뜻을 가지고 있지만 역자의 편의와 의미 전달의 필요에 따라서 '현대' 또는 '현시대'로 구분 없이 사용했습니다.

넷째로, 이 책은 한국적 현대 예배의 가능성을 시사해 줍니다. 랑포드의 열린 사고 속에서 현대 예배와 연령층간의 문화적 차이들(혹은 세대 차이들)이 자연스럽게 만나고 융화됩니다. '유행'을 따르거나, 단지 '최근'에 소개되었다고 해서 현대 예배가 될 수는 없습니다. 나름대로의 독특한 문화를 표현하고 있는 시간(현대)과 장소(한국)에 대한 진지한 도전과 이해 속에서, 가장 적절한 예배 형태가 모색될 때 우리는 그 예배를 한국적 현대 예배라고 부를 수 있습니다. 이 책을 읽다 보면, 어떤 부분에서는 미국(백인 문화의) 상황과 예배가 놀라울 정도로 한국에 잘 적용된다는 사실로 인해 '과연 한국적 예배는 존재하는가?'라는 질문을 하게 됩니다. 그러나 예배학자들과 목회자들이 꾸준히 토착화(한국화) 예배의 당위성을 제기하고 있고 이를 실천에 옮기는 교회도 있기에 이 질문은 미래 시제로 남겨둡니다.

예 배 를 확 바 꿔 라

이 책을 읽으면서 많은 질문들을 갖기를 원합니다. 한국의 상황 속에서 바라볼 때 배울 점과 함께 문제점도 많이 있으리라고 생각합니다. 문제점을 느끼지 못한다면 상황(context)을 강조하는 랑포드의 의도를 바로 읽었다고 볼 수 없을 것입니다. 역자들에게 보내온 편지에서도 랑포드는, 자신의 책에 나오는 예화의 일부가 한국의 독자들에게 적절치 않을 수 있다는 점을 분명히 하고 있습니다.

이 책의 마지막에 저자가 도식화한 '현대의 예배 유형(부록 1)', '예배 양식(부록 2)', '회중(교인들)의 선교(복음)적 과제(양육의 임무)의 구조(부록 3)'는 원문과 번역을 함께 실었습니다. 역서를 읽다 보면 원문보다 한글이 더 어렵게 느껴지는 경우가 적지 않습니다. 혹시라도 번역된 곳 중에 이해가 잘 안 되는 부분이 있다면 부록에 정리된 단어들을 통하여 저자의 의도를 좀더 명확하게 이해할 수 있으리라고 생각합니다.

전병식

차 례

들어가는 말

그 광고는 독자들의 관심을 사로잡았다. 지역 주민들에게 배포된 전단은 사람들에게 '현대의 영웅'을 만나보라고 초대하였다:

그는 압도적인 가부장제 하에서 여성의 권리를 주창하였다. 그는 평화를 만드는 데 앞장섰고, 의에 굶주리고 배고픈 사람들을 축복하였다. 그는 가볍게 손을 댐으로써 몸과 마음이 아픈 사람들을 치유하였다. 그는 하나님에 대한 남다른 생각들로 인해 조롱을 받았고, 욕설을 들었으며, 살해당했다. 그는 그의 삶을 그의 친구들을 위해 내주었다.[1]*

---

* 편집자 주 : 이 책의 모든 주는 231쪽 이하에 게재.

예 배 를 확 바 꿔 라

그 전단은 새로운 예배를 알리고 있었다. 모임은 토요일 저녁에 마당에서 열리며, 예배는 전자 키보드를 연주하는 편한 복장의 한 음악가가 인도한다. 빛나는 십자가로 채워진 커다란 퀼트는 유일한 종교적 상징이 될 것이며, 그것으로 대화를 통한 가르침이 전개될 것이다. 마침내 사람들이 모였고, 내슈빌에 있는 벨몬트 연합감리교회의 현대 예배는 시작되었다.

오늘날 북미 전역과 세계의 회중은 새로운 유형과 형식의 예배를 실험하고 있다. 많은 회중이 그들의 현재 구성원들, 특히 '무엇인가 더' 혹은 '무엇인가 덜 형식적인' 혹은 '무엇인가 다른' 것을 원하는 젊은이들에게 적합한 예배를 찾고 있다. 또 다른 교회들은 기독교에서 소외되거나 현재의 예배에 만족하지 못해 교회 활동에 소홀해진 사람들을 대상으로 선교를 진행중이다. 점점 더 많은 회중이 종교적 배경이 없거나 기독교 신앙과 관계는 없지만 삶의 문제들에 대해 해답을 구하고 있는 (지역) 공동체 내의 사람들을 대상으로 선교를 진행중이라는 사실은 참으로 의미심장하다. 새로운 세대들, 소외된 사람들, 그리고 교회에 나가지 않는 사람들을 대상으로 하는 목회는 예배의 중요한 변화를 초래하였다. 토요일 밤이 주일 아침을 대신하고, 강대상이 있던 자리를 등받이 없는 의자 몇 개가 차지하고, 운동 셔츠가 목회자의 예복을 대신하고, 복음성가가 찬송가를 대체하며, 신디사이저가 오르간 대신 연주되고, 새로운 **예배 인도자**(예배에서 사회를 보거나, 찬송이나 복음성가를 인도하고 통성기도를 이끄는 등의 역할을 하는 안내자들은 '예배 인도자'로, 예배에 대한 모든 지도적 역할을 담당하는 - 주로 목사와 전도사와 예배 전문 사역자로 구성된 - 지도자들은 '예배 지도자'로 번역했다. 이것은 '음악 지도자'와 '찬송 인도자'의 구분에서도 마찬가지 의미로 번역되었다 : 역자 주)들이 등장한다.

예배 안에서 나타난 이러한 변화는 교회와 예배를 인도하는 사람들에게 중요한 질문들을 제기한다. 현대 예배란 무엇인가? 그것은 어디에서 유래되었는가? 그것의 문제들은 무엇인가? 그것이 반영하는 신학은 무엇인가? 그것은 기존의 예배, 회중과 어떤 관계를 갖는가? 회중은 어떻게 반응하는가?

이 질문들에 대한 성급한 답변들은 오답인 경우가 많다. 현대 예배를 관찰하던 어떤 사람은 새로운 형식의 예배에 대해 "일시적 유행일 뿐이지"라고 말한다. 새로운 형태의 예배가 너무나 생소하기 때문에 어떤 해석자는 "형식은 갖췄지만 내용이 없군"이라고 단언한다. "베이비 부머들(baby boomers, 베이비붐에 태어난 아이들 : 역자 주)에게 호감을 줄 수 있는 세 가지 변화가 무엇인가?" 혹은 "부르기에 가장 좋은 현대 복음성가들은 무엇인가?" 등을 묻는 다른 예배 인도자들은 단순히 예배 참석자를 늘리는 빠른 방법을 원한다.

회중과 예배 인도자들은, 현대화된 악대차(bandwagon)에 올라타기 전에, 새로운 형식의 예배에 대해 등을 돌리기 전에, 새롭게 등장하는 예배 경향에 대해 성급한 판단과 결정을 내리기 전에, 현대 예배의 개관을 제공하는 이 책을 먼저 읽어야 한다. 목회자, 음악 지도자, 그리고 개교회의 예배 지도자 들을 위해 쓴 이 책은, 예배가 어디쯤 있었는지, 지금 어디에 와 있는지, 어디를 향해 갈 것인지 등을 조망한다.

이 책의 개요는 이 질문들에 대한 응답이 무엇인지를 보여준다.

1장은 현대 예배의 세 가지 주요 유형(예전적인 예배, 찬양 예배, 구도자 예배)을 설명한다. 이 범주들은 현재 예배의 전망을 분명하게 보여준다.

2장에서는 이 세 가지 유형뿐만 아니라 확연히 비전통적인 예배 모델들까지도 최근 주류 교단들의 예배 갱신 상황에서 이해하고자 한다. 현대 예배는 예배 갱신 운동의 확장이면서도, 바로 그 전통에 서 있는 대부분의 지도자들과 긴장 관계에 놓여 있다.

3장은 예배 유형의 변화를 가져오게 한 근본 원인을 설명하게 될 것이다. 즉 현 세대의 기독교 신자들과 교회에 나가지 않는 구도자들간에 나타나는 상충하는 감수성들을 설명한다. 북미문화의 변화하는 세대들은 전혀 새로운 예배 상황을 만들어냈다.

4장은 현대 예배에 의해서 부과된 "우리는 왜 예배하는가?"라는 중요한 신학적 질문을 제기한다. 이 신학적 질문은 반드시 응답되어야 하며, 그 대답은 기독교 신학자들간의 근본적인 논쟁을 반영한다. 그 후에는 새로운 세대들과 예배하기를 원하는 기존 교회를 위해 구체적인 제안을 한다.

5장에서는 예배를 강화시키기 원할 때 교회가 반드시 해야 하는 네 가지 기본적인 사항을 설명한다(예배 팀을 만들라, 올바른 질문을 하라, 비전을 세우라, 청중 이해를 분명히 하라). 그런 단계들이 없는 예배의 변화는 실패한다.

6장은 하나님의 말씀, 성례전, 기도, 친교라는 예배의 네 가지 기둥을 약술한다. 이 네 기둥이 없으면 예배는 실패한다.

7장은 젊은 세대, 소외된 사람, 구도자 들을 더욱 효과적으로 섬기려는 기존 교회들을 위해 두 가지 구체적인 방법(새로운 예배를 시작하고, 세 가지 예배 유형들의 요소를 혼합함)을 제시한다. 이 모든 정보들은 현대 세계에서 어떻게 예배할 것인가를 결정하는 회중과 지도자들에게 무척 중요하다.

이 책은 나 자신의 예전적 순례를 반영한다. 나는 전통적 개신교 예배를 특징으로 하는 북 캐롤라이나 주 더램의 연합감리교회에서 성장했다. 설교단을 중심으로 지은 예배당으로 회중이 모일 때 스테인드 글래스로 만든 유리창들은 회중을 둘러싸고 있었다. 주일 예배를 위해 정장을 한 회중은 영국계 중산층이었고, 자녀를 동반한 부부들이 예배당을 가득 메웠다. 예복을 입은 찬양대원들이 설교단 뒤에 앉고, 파이프 오르간이 음악을 이끌었다. 목사는 검정 예복을 입었고, 회중 앞에서 무릎을 꿇고 개인 기도를 함으로써 예배를 시작하였다. 찬양대가 입례송을 부르는 동안 예복을 입은 복사(acolyte)들이 초에 불을 붙이기 위해 앞으로 나아갔다. 회중은 사도신경, 영광송(옛 곡조에 맞추어서), 주기도문을 매주 암송했다. 예배의 중심은 설교였는데, 예배당 조명을 낮추고 설교단 위를 집중 조명함으로써 설교의 시작을 알렸다. 바로 그곳에서, 그 예배를 통하여, 복음으로 나는 내가 되었다.

그러나 이런 예전 형식의 진가를 깊이 인식함에도 불구하고, 오늘날 많은 사람들에게 그런 예배가 얼마나 시대에 뒤떨어진 것인지를 나는 안다. 그것은 과거 세대들에게는 잘 어울리는 형식이었고, 지금도 많은 이들에게 존중받지만, 새로운 세대의 사람들에게는 빠른 속도로 소멸하고 있는 이방 문화의 잔상일 뿐이다.

목회를 준비하고 신앙적으로 성숙해지면서, 나는 더욱 풍부한 형식의 예배들을 발견하게 되었다. 나는 예배학자들로부터 (교회력, 성례전의 중요성, 성서 일과, 고전적인 의식들과 전례들과 같은) 동방과 서방 교회의 역사적 예전 신학과 실제의 진가를 점점 더 배우게 되었다. 전문가로서 살아온 대부분의 삶에서 나는 그런 전통적이고 예전적인 예배의 지지자이자 인도자로서 봉사해 왔다.

지금 나는 한층 더 포용적이다. 내가 양육되고 훈련받은 예배와, 나의 영혼의 자양분이 된 런던의 웨스트민스터 대수도원에서 행하는 예배를 여전히 중요하게 생각하면서도, 나는 점점 아주 새로운 문화들을 상대로 선교하는 전혀 새로운 예배 유형과 형식 들에 많은 관심을 갖고 있다.

10여 년 전의 일이었다. 그간 나를 형성해온 예배에 중요한 변화가 요구된다는 것을 알았을 때 결정적인 일이 생겼다. 나는 샌프란시스코에서 열렸던 초교파 예배학자들의 모임에 참석하였다. 주일 아침, 성공회 신도와 장로교인과 함께 샌프란시스코 중심가에 위치한 글라이드 기념 연합감리교회에서 예배를 드렸다. 교회 건물은 환락가로 불리는 그 지역의 이웃들과 많이 닮아 있었다. 샌프란시스코의 이 지역에서는 모든 종류의 인간이 몸을 팔고 있었다. 사창가 남녀들이 교회 앞에서 몸을 팔았고, 마약 중독자들이 교회 입구에 즐비하게 늘어섰으며, 교회 외벽에 반사된 네온사인은 성인용 비디오 가게와 라이브 섹스 쇼 광고로 빛나고 있었다. 우리가 건물 안으로 들어갔을 때, 너덜거리는 청바지를 입은 남녀가 우리를 반갑게 맞이했다. 본당은 천 여 명을 충분히 수용할 만큼 컸다. 베니어판이 스테인드 글래스 창문들을 덮고 있었다. 벽에는 "희망, 성결, 기쁨, 평화, 존중"이라고 쓴 플란넬 천으로 만든 기가 걸려 있었다. 색색의 조명이 2층 회중석에서부터 빛을 발하고 있었다.

글라이드 기념 교회에서 가장 주목할 만한 것은 회중 자체였다. 노인 몇 분은 고상한 드레스나 타이를 맨 양복과 같은 전통적인 주일 정장을 하고 있었다. 그러나 이렇게 차려 입은 사람들은 예외에 속했다. 회중 대부분은 교회에서 엎어지면 코 닿을 거리에 살았다. 대부분의 사람들은 제각기 와서 혼자 앉았다. 몇 명은 그들의 차림새로 봐서 사창가 남녀인 듯싶었다. 어떤 사람들은 넋이 나간 듯한 표정으로, 또 어떤 사람들은 지친 표정이었다. 젊었지만 생기 없는 눈과 깡마른 몸을 지닌 그들은 실제 나이보다 더 들어 보였다.

예배가 시작될 무렵 이 다양한 종류의 사람들이 예배실을 가득 메우고 있었다.

세실 윌리엄스(Cecil Williams) 목사가 갈색, 검정, 초록색의 줄무늬가 들어간 아프리카 켄트 산(産)의 천으로 만든 예복을 입고 들어왔다. 앞에서 여러 대의 드럼과 기타와 신디사이저와 나팔 들이 음악을 연주하고 있었다. 예배가 시작되었다. 우리는 주보 없이 순서를 따라갔다. 찬송가 없이 우리는 찬양대와 함께 찬양을 했다. 회중으로 구성된 찬양대원들은, 무시로 앞으로 나와 중앙의 앞 계단에 앉았다. 즉흥적으로 기도하였고, 회중 가운데 많은 사람들이 큰소리로 기도를 요청했다. 마약을 끊게 해달라고, 에이즈에 걸린 친구를 치유해 달라고, 배고픈 사람에게 빵을 달라고……. 설교에서 성경 말씀을 인용하기는 하지만, 예배 중에 단 한 번도 성경을 펼쳐보지 않았다. 설교는 비정통적인데 정열적이고 직접적이었다. 회중 사이를 걸으며 윌리엄스는 사람들에게 이 사회가 그들을 어떻게 생각하든 간에 하나님은 그들을 사랑하신다고 말했다. 윌리엄스는 사람들에게 그들 자신을 존중하고 사랑할 것을 촉구했다. 예배의 끝자락에 목사는 우리를 성만찬 대신 친교실에 있는 무료식당에 오라고 초대하였다.

예 배 를 확 바 꿔 라

나와 함께 예배에 참석했던 두 친구들은 질겁했다. 훌륭한 예배학자들이었던 그들이 볼 때, 예배실은 지저분했고, 오르간이 없어서 신경에 거슬렸으며, 전통적인 설교와 찬송가가 없어서 제대로 예배를 드릴 수가 없었다. 그들은 예배에 참석한 것을 시간낭비라고 생각했다. 내 친구들은 부분적으로는 옳았다. 고전적인 예배 기준을 놓고 볼 때, 글라이드 기념 교회의 예배는 모든 규칙을 깨뜨렸던 것이다.

그러나 나는 달랐다. 웨슬리안 언어를 사용하자면, 나의 마음이 "이상하게 뜨거워졌다(strangely warmed)." 이 사람들은 그들 자신의 행위에 의해서든 타의에 의해서든 간에 우리 사회에서 버림받은 사람들이었다. 거리의 청소부들은 그들의 남루하고 왜곡된 영혼들을 주워 담았다. 건물 안으로 들어오지 않은 채 거리에 머물 수도 있었던 이 사람들은 복음을 듣기 위해 글라이드 기념 교회 안으로 들어왔고, 긍정과 희망을 갈구하였다. 그 교회는 자신의 임무에 충실하며 하나님의 사랑을 선포하였다. 그 지역의 거의 모든 교회들은 교외로 도망가거나 문을 닫았다. 글라이드 기념 교회는 어둠의 한가운데 빛으로 남아 있었다. 이 회중은 구체적인 선교를 통해 이웃들을 섬기고 있었다. 이 신앙 공동체는 이웃들을 있는 그대로 받아들였고, 그들이 이해할 수 있는 방법을 통해 그들의 실질적인 필요를 채워주려고 노력했다. 성전과 음악과 설교와 시각 자료들을 동원한 예배를 통하여 글라이드 기념 교회는, 사랑의 메시지가 가장 필요한 사람들과 또 원하는 사람들과 복음을 나누었다.

복음은 항상 구체적인 시간과 독특한 문화 속에서 살아가는 특정한 사람들에게 자연스러운 예배, 즉 토착적인 예배로 전달되어 왔다. 예수가 옥외에서, 가정 집에서, 성전 뜰에서 가르쳤을 때, 그의 말을 들으려고 군중이 몰려들었다. 예수는 회당과 성전에서 유대교 고유의 방법으로 예배 드리던 전통적 예배 인도자들을 화나게 하였다. 예수가 등장할 때마다 그들 사회의 구도자들(seekers)과 버림받은 사람들(outcasts)이 몰려왔다. 그들이 예수의 메시지를 분명히 이해했기 때문이었다. 예수가 종교 지도자들에게 말했다: "내가 진실로 너희에게 이르노니 세리들과 창녀들이 너희보다 먼저 하나님의 나라에 들어가리라(마 21 : 31)." 경건하고 종교적이라는 신도들이 볼 때에는, 하나님을 거부해 왔고 회당에는 두 번 다시 발을 들여놓지 않을 것 같았던 세리들과 창녀들에게, 예수가 그들이 이해할 수 있는 방식으로 하나님의 사랑을 이야기하자 그들은 예수의 이야기 듣기를 열망하며 몰려들었다.

샌프란시스코에서 나와 함께 예배 드렸던 친구들은 좋은 사람들이었지만, 그 날 그들은 예수의 메시지가 특정한 방식으로 구현된다는 것을 이해하지 못했다. 하나님은 모든 사람을 찾고, 사랑하신다. 나의 친구들은, 종종 무시되어온 독특한 청중에게 예수가 비전통적인 방법으로 복음을 전달했다는 사실을 잊고 있었다. 회당과 성전의 종교 지도자들은 좋은 사람들이었지만, 복음은 모든 사람을 위한 것이고, 하나님의 은혜를 전달하는 방법은 여러 가지라는 사실을 받아들이지 않았다. 나는 나 자신에게 '예배를 통해 하나님의 사랑을 나누는 적절한 방법들이 무엇일까?' 를 아주 열심히 묻기 시작했다.

이 질문은 오늘날의 문화적 상황 때문에 반드시 대답되어야만 한다. 많은 기독교인들이 기존의 교회 안에서 예배하는 동안, 하나님을 찾고, 필요로 하는 더 많은 사람들이 교회 밖에 있다.

지금 북미에서는 수천만 명의 사람들이 삶의 의미를 찾고 있다. 이들 구도자들의 대부분은 50세가 채 안된 사람들이다. 그들은 예수를 보기 위해 몰려온 구도자, 세리, 버림받은 사람, 그리고 글라이드 기념 교회에 나가는 샌프란시스코 사람들과 아주 흡사하다. 하나님을 찾는 이 사람들은 남다른 삶의 방식으로 살아간다. 그들

중 몇몇은 교회에서 성장했으나, 대다수는 예배에 참석하며 성장한 사람들이 아니기에 성경 주기도문 고전적인 찬송가나 영광송을 알지 못한다. 교회 안의 많은 이들과 마찬가지로 교회에 나가지 않는 많은 사람들이 자기 중심적으로 살아왔고, 지금도 마찬가지다. 그들은 자기 계발, 자아 실현, 동양의 지도자들을 찾아가고, 재정적 상담 등을 시도해 왔다. 그러나 그들의 삶은 여전히 불완전하다. 기존 교회의 바깥에 서 있는 이 사람들은 의미를 찾으며, 교회가 어떤 대답을 할지에 대해 궁금해한다.

글라이드 기념 교회는 나로 하여금 우리가 예배 속에서 무엇을 하는지를 묻게 만들었다. 한 가지 유형이나 형식의 예배를 고수하는 것이 복음의 나눔이라는 예배의 선교 과업을 방해하지는 않았는가? 기존의 많은 교회들이 현재 제공하는 것 외에 다른 방법으로 복음을 나눌 수는 없을까?

쉬운 대답은 없겠지만, 오늘날 기독교인들이 왜, 어떻게 하나님께 예배하는가를 더욱 분명히 함으로써 어느 정도의 대답을 찾을 수 있다.

저술가이며 기독교 신비주의자인 애니 딜라드(Annie Dillard)는 "예배는 삶을 변화시키는 엄청난 힘이 있다"고 기록한다. 교회에 속해 있는 우리는 너무나 자주 여성 남성 젊은이 아이 들을 변화시키는 하나님의 에너지를 이해하지 못한 채 형식적으로 예배한다. 딜라드는 다음과 같이 기록한다:

나는 상황에 아주 예민한 기독교인을 카타콤 밖에서는 찾을 수 없다. 우리가 경솔히 불러내는 힘이 도대체 어떤 종류인지 아주 희미하게라도 아는 사람이 있는가? 혹은 내가 의심하듯이, 그 말을 믿는 사람이 아무도 없는 것은 아닌가? 교회는 주일 아침을 날려버릴 정도의 강력한 폭약 한 묶음이 들어 있는 화학 세트를 가지고 마루에서 노는 아이들과 같다.[2]

오늘날 북미의 회중은 심히 비(非) 기독교적인 문화를 마주하고 있다. 그러나 이 문화는 교회만이 제공하는 기반을 여전히 찾고 있다. 교회가 직면한 과업은 예배를 통해 하나님의 은혜의 힘을 사용하여 우리 사회 속에서 예수 그리스도의 사랑을 폭발시키는 것이다.

1
현대 예배의 세 가지 유형

· **예전적인 예배** _ 과거의 다양한 전통들을 존중하고, 성서일과를 통해서 더욱 통전적으로 성경을 읽게 해준다.

· **찬양 예배** _ 탈 형식적이고, 매주 한 가지 주제에만 집중하며, 말이나 음악적인 형태로 복음을 증거한다.

· **구도자 예배** _ 독신자들과 젊은이들은 독립적이고 급진적일 정도로 창조적인 구도자 예배에 매력을 느낀다.

I

현대 예배의 세 가지 유형

예 전 적 인   예 배 · 찬 양   예 배 · 구 도 자   예 배

어느 지역에서든지 신문을 펴 들면 다양한 형태의 예배를 만
날 수 있다. 어느 대도시의 신문에는 한 로마 가톨릭 교회가 각각
다른 시간대에 다른 언어로 드리는 여섯 번의 미사가 나열되어 있
다. 그 가운데 한 번쯤은 마리아치 밴드(mariachi band, 원 뜻은 '멕시코의
거리의 악사' 들이지만 보통은 멕시코 풍의 음악을 연주하는 악대를 뜻한다 : 역자 주)가
함께 한 예배일 법도 하다. 하나님의 성회(Assembly of God)에 속한
한 교회는 세 번의 찬양 예배를 드리는데, 그 중 한 번은 유명한 찬
양 팀이 특송을 한다. 성공회의 한 교회는 이른 아침 기도회 후에
성찬식을 하고, 길 건너에 위치한 미국 정통 국교회(Orthodox Anglican
Church in America)는 경쟁이라도 하듯이 1928년의 기도서를 사용하
여 예배를 드린다. 새로 건립한 미국 정교회가 '고대 정교회 예배의

현대 언어화'를 모색하는 데 반해, 한 오순절 계통의 성결교회는 '성령 충만한 예배'를 주창한다. 한 흑인 공동체 교회가 '흑인의 경험'으로 예배를 묘사하고, 중심가의 한 지역 교회는 '동성애자 공동체를 위한 돌봄의 목회'를 자랑스럽게 소개한다. 열거하자면 끝이 없다. 오늘날 북미에 기독교 예배의 기준이 될 만한 형식이 과연 존재하는가?

역사적으로 늘 그래왔듯이, 기독교 예배의 유형이나 형식은 너무나 다양하다.[1] 20년 전만 해도 동양의 예배, 오순절 예배, 동방 정교회의 예배를 수박 겉 핥기 식으로 취급하며, 북미 기독교 예배의 주류를 개신교 예배와 로마 가톨릭 예배로만 분류하던 사람들이 있었다. 이런 식의 단순 분류는 오늘날 더 이상 통하지 않는다.

예배는 "사람들과 사람들의 필요가 달라짐에 따라" 늘 변해 왔고, 이에 따라 오늘날 많은 예배 전통이 존재한다.[2] 고전적으로 알렉산드리아 전통, 서방 시리아 전통, 동방 시리아 전통, 바실리아 전통, 비잔틴 전통, 로마 전통, 그리고 갈리아 전통 등 기원지나 창시자에 따라 분류된 일곱 가지의 주요 예전 전통들이 있었다. 이들 예전 전통들은 나름대로의 독특한 형식과 강조점을 지니고 있었고 지금도 지니고 있다. 조금 더 깊이 들어가면, 이들 각각의 전통들

예 배 를 확 바 꿔 라

안에도 예전적 다양성이 존재한다. 예를 들어 오직 한 가지의 (라틴어로 기록된) 규범적인 로마 가톨릭 의식이 존재하는 데 반해, 지구상의 다른 언어권에 속한 로마 가톨릭 그룹들은 적지 않은 지역적 차이를 갖는다.

예배의 다양성은 개신교 전통에서 더욱 복잡해진다. 예배학자인 제임스 화이트(James White)의 관찰대로 "개신교 예배가 풍성한 이유는 예배가 다양하고, 그 다양성으로 인해 수많은 종류의 사람들을 포용할 수 있기 때문이다."[3] 개신교 전통으로는 재세례파 전통, 개혁 교회 전통, 성공회 전통, 루터교 전통, 퀘이커 전통, 청교도 전통, 감리교회 전통, 프론티어 전통, 오순절 전통 등 최소한 아홉 가지 전통이 존재한다. 다른 문화나 시기와 연관된 예전적 다양성이야말로 바로 기독교 전통인 것이다.

모든 교단적 차이와 신앙 고백의 차이에도 불구하고 북미 문화권에서 예배를 규정하는 한 가지 새로운 방법이 존재한다. 이 새로운 패턴은 과거 도식이나 범주와 일치하는 부분이 있기도 하지만, **예전적인**(Liturgical) **예배와 찬양**(Praise and Worship) **예배, 구도자**(Seeker) **예배**라는 현대 예배의 세 가지 주요한 유형을 보여준다.[4] (이 세 유형을 개략적으로 비교해 놓은 부록 1을 보라.) 참여, 공연, 초대

(entertainment) 위주의 형식, 혹은 저교회(low church)와 고교회(high church), 혹은 예배의 인종적 표현들과 같이 예배를 분류하는 다른 방법들이 존재하는 반면, 앞서 말한 세 가지 유형은 현대 예배를 범주화하는 유용한 방법이 된다.5)

이 세 가지 유형 중 그 어느 것도 개 교회에 꼭 들어맞게 적용되지 않으며, 전통적 분류 방법에 잘 어울리지도 않는다. 그럼에도 불구하고 이 세 유형은 현대 예배를 해석하는 데 많은 도움을 준다. 이 세 가지 유형들은 서로 관련되기도 하고 긴장 관계 속에 있기도 한데, 이들은 모두 진정한 기독교 신앙의 표현들이 될 수 있다. 세 가지 유형이 오늘날의 예배 현장 곳곳에서 발견되는 현대 예배(contemporary worship)다. 각각의 유형은 특정한 집단이나 개인에 따라 장점으로 작용하기도 하고, 약점으로 작용하기도 한다. 이들 유형은 각각 특정 집단의 사람들에게는 찰떡 궁합처럼 잘 어울리는 반면에, 다른 사람들에게는 도무지 이해가 되지 않을 뿐더러 그들을 소외시키기도 한다. 어떤 교회에서는 오로지 한 가지 유형으로만 예배를 드리거나, 다른 시간대에 세 가지 유형을 모두 사용하거나, 그 세 유형을 혼합하여 예배 드리기도 한다. 이들 중에서 어떤 것이 더 낫다고 말할 수 없으며, 예배에 통일된 형식이 정해져 있는 것도 아니다. 세 가지 유형에 대한 논의는 오늘날 교회의 예배가 어디쯤 서 있는지를 분명히 하는 데 도움이 될 것이다.

예전적인 예배

예전적인 예배는 경외감을 최대한으로 나타내는 하나님 중심의 예배(God-centered worship)다. 북 캐롤라이나의 더램에 위치한 듀크 대학교의 채플은 예전적인 예배를 특징으로 한다. 건물은 돌로 만든 벽과 바닥, 딱딱한 회중 의자, 의자 뒤의 찬송가꽂이 등을 갖춘 고딕 양식이다. 교인들은 기도문과 예배 참여를 위한 안내가 포함된 인쇄된 예배 순서를 조심스럽게 따라간다. 예복을 입은 찬양대원들과 예배 인도자들은 십자가를 든 신도와 촛불 점화를 맡은 예배 보조자의 뒤를 따라 입례송을 부르며 예배를 시작하고, 긴 중앙 복도를 따라 제단과 찬양대석까지 걸어 들어간다. 채플의 앞뒤에 위치한 오르간이 찬송과 함께 울려 퍼진다. 성경봉독은 성서일과(lectionary, 주일과 성일을 위한 교회력과 3년 주기의 성경봉독 목록)에 따르며, 성만찬은 예배 때마다 규칙적으로 거행한다. 설교는 상당히 신학적이며, 고등 교육을 받았으나 회의론자들인 포스트모던 공동체의 요구를 구체적으로 파고든다. 듀크 채플은 주일 아침마다 학생, 교수, 그 지역 주민 들로 가득 찬다.

예전적인 예배는 형식적인 경향이 있다. 예배의 목적은 이성적이고 합리적인 방법들 안에서 말씀을 듣고 보는 것이며, 궁극적으로는 옛날 식 영어 단어인 '다른 존재에게 가치를 부여함' (weorthscipe, worthy-ship의 고어 표현으로 예배 worship의 어원이 됨 : 역자 주)이라는 어원의 표현대로 전적 타자인 하나님께 영광을 돌리는 것 혹은 경배를 하는 것이다. 교회력과 특정한 예전서들에 근거를 두면서, 세례와 성찬식을 공동체의 삶의 중심에 놓는다. 대표적인 예식서로 「연합감리교회 찬송가」(The United Methodist Hymnal, 찬송가 앞부분에 주일 예배, 성만찬, 세례를 위한 예식서가 붙어 있다 : 역자 주)나 「연합감리교회 예배서」(The United Methodist Book of Worship)와 같이 교회의 인증을 받은 책들이 있다. 로마 가톨릭과 동방 정교회의 회중과 함께 연합감리교회, 장로교, 연합그리스도교, 성공회, 루터교 등 주류를 이루는 개신교회들은 예전적인 예배의 전방 기지들이다.

예전적인 예배의 일차적인 청중은 기존의 신앙을 받아들이거나 붙들고 씨름할 용의가 있는 신앙인들이다. 이들은 교회에 소속된 교인이거나 방문객인데, 이들 중 대부분은 교회에서 성장했다. 일반적으로 남자보다는 여자가 많으며, 예배자들은 대개 젊은 사람

예 배 를 확 바 꿔 라

들보다 노인들이 더 많다. 젊은층의 교인들은 전체 인구에 비해 교육 수준이 높은 편이며 기독교 가정 안에서 성장한 경우가 많다. 새신자 중 십중팔구는 다른 예전적인 교회에서 전입해 온 사람들이다. 회중은 강대상, 세례반, 성찬대, 그리고 앞사람의 등과 성찬대를 나란히 바라보게 만든 회중석과 같은 전통적인 교회 구도에 편안함을 느낀다. 예배는 찬송가나 예배서를 참조하여 인쇄된 주보를 사용하며 기본적으로 주일 아침에 드린다. 회중은 찬송을 부르고 인쇄된 기도문들을 크게 읽으면서 예배에 참여한다. 이들과 예배 인도자들의 기본적 관심인 인간의 죄와 대속의 은혜의 필요성이 분명한 신학적 언어로 표현된다. 표면적으로는 이 신학을 인정하면서도, 많은 사람들이 스스로를 하나님에게서 멀리 떨어져 있다고 생각하고, 새로운 뉴스를 찾고 있는 중이다. 목회자와 음악 지도자와 찬양대원들은 스스로를 드러내지 않으며 예배를 인도한다. 이 예배 인도자들은 예배 공동체의 길잡이가 되며, 하나님을 나타내는 지표로서 예배의 주재자들(presiders)이 된다.

예전적 예배가 가지고 있는 특유의 복음적 과제('evangelistic task'의 번역인데, 문맥의 의미에 따라 '선교적 과제(또는 임무)' 혹은 '양육을 위한 임무(또는 단계)' 등으로 이해된다. 편의상 앞으로도 '복음적 과제' 또는 '선교적 과제(또는 양육의 임무)' 둘로 표현하게 될 것이다} 혹은 중심 목표는 찬양 예배나 구도자 예배와는 뚜렷한 차이를 보인다. 예배의 복음의 과제라는 큰 그림은 구도자들에게 예수를 소개하고, 새로운 청중들을 공동체 안으로 초대하며, 궁극적으로는 믿는 자들을 그리스도의 사역 안으로 완전히 연합시키는 3단계 과정으로 묘사할 수 있다. 설명을 하자면, 이 과정은 계단에서 현관을 거쳐 집으로 들어가는 과정과 비슷하다. 구도자 예배들은 하나님에 대해 기초적인 소개를 하고(계단), 찬양 예배는 세례 받은(문) 새 신자들을 가르치며(현관), 예전적 예배는(하나님의 집안에 사는) 신앙인들을 양육하여 강하게 만든다.6)

이 복음화 과정 속에서 예전적 예배의 역할은 믿는 자들에게 성화의 은혜(sanctifying grace)를 공급하고 말씀과 성례전을 올바르게 가르치고 실행하는 집을 제공하는 것이다. 헌신적인 예수의 제자들에게 기존의 신앙을 어떻게 발전시키고 강화시킬지를 가르치는 것이 목표다. 현대의 문화현상 속에서 소속 교인이라든가 신학적 언어와 같은 개념들이 점증적으로 주변화하는 경향 때문에 예전적 예배들은 때때로 물질과 자기 도취에 허우적거리는 북미 사회에 대해 반문화적인(countercultural) 위치에 서게 된다.

말씀과 성찬대는 예전적인 예배 구조를 묘사한다. 예배는 사람들이 모여드는 입례에서 시작된다. 다음은 말씀 선포로 이어지는데 대개 성서일과의 말씀 세 편과 시편 한 편을 포함한다. 성서일과의 본문들을 설교하면서, 목사는 그 날의 본문들을 설명한다. 설교는 종종 교인들이 성찬대(table/altar)나 세례반(font)으로 이동할 준비를 해준다. 설교는 준비된 원고를 읽기도 하고, 원고 없이 하기도 한다. 이전 세대의 설교 지침서에 자주 설명한 대로, 설교의 목적은 사람들로 하여금 집에서 점심을 먹으며 설교에 대한 대화를 나눌 수 있게 하는 것이다. 이 교육적 모델은 '앎'에 대한 플라톤적 방식을 반영한다. 즉 사람들은 듣고 생각하는 대로 형성된다. 만일 사람들이 옳은 것을 생각하면 그들은 좋은 사람들이 될 것이다. 설교가 끝나면 역사적 신조와 같은 응답이 뒤따른다. 성만찬의 감사기도는 말씀에 대한 원형적인(archetypal) 응답이며, 곧바로 세상을 향한 파송(sending forth)으로 이어진다. 매주일 반복되는 이 기본적인 유형은 신실한 예배를 위한 경계를 형성하며 안전 지대를 제공한다.

예전적인 예배에서는 전통적인 음악이 차지하는 비중이 아주 크다. 찬양대와 회중은 "기뻐하며 경배하세(Joyful, Joyful We Adore Thee)"와 같은 찬송을 천천히 질서 있게 부른다. 찬송과 함께 오르간과 피아노가 연주되고, 찬송가는 곡과 가사를 제공해 준다. 음악은 대개 음악 지도자의 숙련도에 따라 웅장하게도, 아주 단순하게도 된다. 찬양대는 세련되게 찬양을 하기도 하고, 격식에 관계없이 찬양을 하기도 한다. 악기는 큰 트래커 오르간(tracker organs, 기계식 오르간을 말한다 : 역자 주)처럼 고급품인 경우도 있고, 구형의 전자 피아노와 같이 질이 떨어지는 경우도 있다.

예전적인 예배가 회중의 양육에 강조점을 둔다고 해서 새 신자들의 입회에 걸림돌이 되는 것은 아니다. 모든 주류 교단들은 사람들의 영성을 깊은 차원으로 이끌어 줄 잘 준비된 입회 방식을 사용하여 새로운 세대에 대한 접근을 시도하고 있다. 이들 방식의 대부분은 비신자에게 세례 받을 준비를 시키는 로마 가톨릭의 '성인들을 위한 기독교 입회 의식'(Rite of Christian Initiation for Adult)에 근거를 둔다. 루터교와 성공회와 연합감리교회에서도 몇 년간의 진지한 연구를 통해 사람들을 교회 안으로 인도하는 비슷한 모델의 독특한 예전들을 개발하고 있다. 어려운 점은, 예나 지금이나 입회를 위한 이들 각각의 모델들이 구도자들과 새 신자들로 하여금 충분한 문화적 적응 없이 기존 신도들의 언어, 신앙, 예배 속으로 동화되게 한다는 데 있다.[7]

모든 예전적인 예배들이 천편일률적이지는 않다. 그 속에는 교인이 몇 명 되지 않는 시골 교회에서부터 교인이 북적거리는 높은 첨탑의 도시의 기념 교회에 이르기까지 참으로 다양한 형식의 예배들이 존재한다. 성만찬의 횟수(일 년에 몇 번부터 매 주일까지), 예배 주보의 면수(한 쪽부터 여러 쪽까지) 등이 다양성 안에 포함된다. 예전적 예배의 기본적인 특징은 회중이 매 주일 똑같은 형식의 인쇄된 주보를 사용한다는 것이다(동방 정교회의 경우는 예배 형식이 예배자들의 마음속에 새겨져 있다).

어떤 이들이 주장하듯이 완전히 다른 범주에 속하는 예전적 예배의 변종으로 '설교 예배'를 꼽을 수 있다. 전통적인 개신교 예배로 흔히 이해되는 이 말씀의 예배는 말씀과 성찬 예배의 저교회(low church)적 변종이다. 이들 개신교 예전들은, 북미 개신교 회중이 설교 예배가 뒤따르는 성공회의 아침 기도회의 예배 형식을 모방하면서, 19세기 후반에 등장했다. 이 예배들은 성경 말씀의 중요성과 개인적인 하나님 체험을 강조한다. 예배는 성경 봉독, 기도, 헌금, 그리고 목회 소식(광고)을 포함하는 준비 시간으로 시작된다. 이 때 피아노나 오르간의 연주로 복음성가와 찬송가를 들을 수 있다. 이 '준비 단계'가 지나면, 흔히 '설교자'라 불리는 예배 인도자에 의해, 예배의 정점인 설교(본래는 성경의 주해를 목적으로 했는데 점차 그 기능을 잃어가

39

1 . 현 대   예 배 의   세   가 지   유 형

고 있음)가 시작된다. 설교가 끝나고, 폐회 찬송이 진행되는 동안에, 설교자는 사람들을 예수 그리스도의 제자가 되도록 초청한다. 이 예배 형식은 지금도 기존의 많은 개신교 예배에서 널리 사용한다. 그러나 매주 똑같은 형식을 반복하고, 주보가 예배 순서를 알려주며, 전통적인 찬송가가 음악을 규정하는 예전적 예배 유형의 하나일 뿐이다.

예전적인 예배들은 오늘날의 북미 문화 속에서 가치를 지닌다. 절대가 사라지는 문화 속에서 정통 신앙을 견지한다. 예전적인 예배는 과거의 다양한 전통들을 존중하고, 성서일과(lectionary)를 통해서 더욱 통전적으로 성경을 읽게 해준다. 성례전에 대한 강조는 사람들로 하여금 자신들의 신앙을 규정하도록 초대하며, 이를 통해 구원은 일차적으로 하나님께로부터 온다는 사실을 상기시킨다. 음악은 풍성하고, 시대의 시험을 통과해 왔다. 예전적인 예배는 신앙이 좋은 회중을 은혜(grace) 안에서 성장시킨다.

그러나 불행하게도 너무나 많은 예전적 교회들이 전통, 관습, 사회적 지위 등을 예배 자체보다 더 중요하게 여긴다. 주로 예전적 예배와 연관된 냄새가 전통의 횡포에 시달려 향내가 아닌 썩은내나 곰팡내를 풍긴다. 예전적인 예배는 종종 의무화된 결단식(altar call,

예 배 를 확 바 꿔 라

새롭게 회개한 사람들이나 예수 그리스도에 대한 헌신을 갱신하려는 사람들을 성찬대 앞 난간으로 초대하여 무릎을 꿇게 하는 것 : 역자 주)이나 정해진 스타일의 의복과 같은 특정 지역의 전통들을 고수한다. 예를 들어 성직자의 예복은 종종 제네바 아카데미 가운이나 로마식 미사복과 같은 특정한 모델에 근거하여 만들어지며, 거의 예외가 허용되지 않는다. 예전적인 예배의 다수가 변화를 거부한다. 사람들은 "우리는 한 번도 이렇게 해 본 적이 없습니다"라고 딱 잘라 말한다. 종종 예전적인 예배들은 모든 전통이 특정한 문화적 상황과 당시의 목회적인 필요에 의해 생겨났다는 사실을 기억하지 못한다. 예를 들어 수백 년 전에 만들어진 성찬대 난간(혹은 영성체대, communion rail)은 열어 놓은 성당에서 어슬렁거리던 길 잃은 동물들이 빵과 포도주를 먹지 못하도록 막아 놓은 장치였다. 이 난간들이 지금은 그 위에서 아이들(어떤 사람들의 마음에는 아마도 어슬렁거리던 동물들이나 아이들이 다를 바 없을 것이다)이 뛰어 놀아서는 안 되는 성물(sacred objects)이 되었다.

예전적인 예배는 또한 너무 예식서에 의존하고, 직선적이며, 배타적이고, 염세적이며, 현대 문화에 무관심하다는 점에서 문제가 된다. 기록된 예식서에만 의존하는 이 예배는 매주 반복해야 하는 필요한 요소들의 대조표(checklist)가 되고 만다. 이 예배들은 똑같은 형태의 예배로 먼저 양육된 사람들에 의해서 훈련을 받은 신앙인들에게 가장 호소력이 있다. 오로지 예배에 익숙한 사람들만이 예배의 어느 순간에 어떤 책을 사용하는지를 안다. 따라서 예전적인 예배의 청중은 늘 그 사람이 그 사람이며, 이 형식에 익숙하지 않은 사람들은 소외된다. 예전적인 예배를 비판하는 사람들이나 지지하는 사람들 모두가 예전적인 예배에 종종 뜨거운(warm) 체험적 표현이 결여되어 있고, 사람들이 죄책감을 느끼도록 죄를 강조한다고 본다. 마지막으로 예전적인 예배는 예배자들이 오래 전부터 전승된 찬송을 부르며 지역 공동체의 관심과 동떨어진 관심을 말할 때, 교회에 다니지 않는 구도자들(unchurched seekers)에게 적대적으로 비춰지고 만다.

찬양 예배

찬양 예배(Praise and Worship)는 현대 예배의 두 번째 대안이다. 테네시의 내슈빌에 위치한 독립 교회인 벨몬트 교회(Belmont Church)에서는 찬양 예배를 드린다. 예배는 10시에 시작한다. 로비에서 안내 위원들이 커피를 대접하고, 예배자들은 커피를 들고 대예배실(원문은 강당, 공연장, auditorium)로 들어가 반원형으로 설치된 편안한 좌석에 앉는다. 많은 사람들이 가죽 표지의 성경을 지니고 있으며, 주보나 찬송가 책은 보이지 않는다. 몇몇 사람들만 도착했을 뿐인데도, 예배 인도자가 중앙 단상으로 올라오고, 그랜드 피아노 연주로 예배는 시작된다. 천장에서 스크린이 내려오고 점점 많아지는 회중이 복음성가를 부른다. 45분 가량의 찬양과 즉흥 기도가 끝날 무렵 회중의 숫자는 천 명 정도가 된다. 연주자들이 느린 속도의 부드러운 음악을 연주하기 시작하며 단상을 떠난다. 손에 검은 성경을 지닌 한 강사가 계단으로 올라와, 성경 전체에서 가르침을 펼친다. 45분의 가르침이 끝나면 그 강사는 자리에 앉고, 헌금 위원들이 헌금 바구니와 성찬 접시를 각 줄마다 돌린다. 바구니와 빵과 컵이 무엇을 의미하는지에 대한 설명은 없다. 헌금과 성찬 분배에 이어서, 사람들이 집으로 돌아가며 서로 인사할 때, 예배 인도자는 다시 찬양을 인도한다.

찬양 예배는 탈 형식적이고, 매주 한 가지 주제에만 집중하며, 말이나 음악적인 형태로 복음을 증거한다. 찬양 예배는 대개 복음성가집이나 회중 앞에 비춰진 스크린의 성가를 사용한다. 이 예배는 현대적 감각을 느끼게 하며, 가슴과 감정에 초점을 맞춤으로써 정서를 자극한다. 분위기는 공원의 축제와 유사하며, 예배는 삶의 중심이 된다.

현대적 음악들과 경험에 근거한 찬양 예배는 남 침례교나 하나님의 성회와 같은 복음적인 교단의 교회와 독립 교회 안에서 종종 발견된다. 이들 가운데는 열린문 교회(Church of the Open Door), 머리너 채플(Mariner's Chapel), 기쁨의 공동체(Community of Joy, 혼합/전통 예배 안에서의 찬양 예배), 라스 꼴리나스회(Fellowship of Las Colinas), 윌로우 크릭 공동체(Willow Creek Community, 수요일과 목요일 밤), 그리고 희망의 집(House of Hope) 등 그 이름에서 알 수 있듯이 대형 교회(megachurch)들이 많다. 완벽한 봉사를 제공하는 회중과 예배들은 열려 있으며 매력적이다.8)

찬양 예배의 청중은 교회에 소속된 기독교인과 교회에 소속되지 않은 기독교인으로 구성되어 있다. 대부분의 참여자들은 교회에서 성장을 했고, 흔히 예전적인 예배에 참석하는 부모의 자녀들이다. 새 신자들은 대개 예전적인 교회나 다른 찬양 예배 스타일의 교회에서 편입한 경우가 많다. 이들은 종교적인 환경과 전통적인 종교 언어에 대해 잘 알면서도, 원형 극장, 공연장, 카페테리아, 혹은 성서대가 놓여 있는 영화관 같은 분위기에서 더욱 편안함을 느낀다. 눈에 보이는 성찬대나 세례반 혹은 침례소는 없으며, 쉽게 움직일 수 있는 의자는 서로 얼굴을 바라보게 해준다. 주보에는 예배 순

예 배 를 확 바 꿔 라

서가 없고 광고만 있다. 사람들은 주로 복음성가를 부르고 즉흥적인 기도를 드리면서 예배에 참여한다. 예배는 주일 아침, 주일 밤, 혹은 수요일 밤에 드린다.

찬양 예배의 청중은 죄의 문제보다는 마음의 상처와 불완전한 삶을 안고 오기 때문에, 예배의 복음적 과제는 칭의와 회개의 은혜를 통해 그들을 신앙 공동체 안으로 들어오게 하는, 치유의 문이 되는 일이다. 구도자 예배가 계단이고, 예전적인 예배가 집이라면, 찬양 예배는 복음적 과제의 현관이 된다. 찬양 예배의 목적은 젊거나 아직 덜 성숙한 신자들에게 그들의 삶을 향한 하나님의 사랑과 뜻을 가르치고 믿게 하는 것이며, 그들의 여정이 하나님의 집 안에서 계속되도록 용기를 더하여 주는 것이다. 찬양 예배는, 예술, 제스처, 기호, 상징, 혹은 전통을 통해 하나님을 발견하기보다는, 사람들의 내면과 자신들이 속한 공동체 안에서 하나님을 발견하도록 돕는다. 세례는 신앙 공동체로 들어가는 입구가 되고, 예수의 (새로운) 제자들은 성숙한 신앙인들에 의해 인도되는 소그룹 안으로 편성된다. 이 방법은 앎(knowing)의 플라톤적 방식에 반대되는 아리스토텔레스적인 방식을 반영한다. 사람들은 그들이 사고하는 바에 따라 형성되는 것이 아니라 그들이 행동하는 바에 따라 형성된다. 만일 사람들이 예배 안에서 옳은 일을 하면 그 활동이 그들을 신앙 안에서 성장시킨다.

찬양 예배는 크게 찬양과 말씀(teaching)이라는 두 부분으로 나뉜다. 예배 중에는, 전통적인 찬송을 조금 가미하긴 하지만 대부분 현대 음악을 중심으로 찬양하고, 그 사이 사이에 즉흥적인 기도를 한다. 비록 예배를 인도하는 주보는 없지만, 예배 인도자들은 잘 개발된 예배 형식과 매 주일 거행되는 예행 연습의 순서를 따른다. 찬양은 15분에서 1시간까지 계속된다. 복음성가집이나 OHP 시스템으로 찬양을 인도하며, 연주자와 악기의 숫자는 다양하다. 가르치는 일은 강사(설교자가 아님)가 하는데, 대개 성경의 긴 구절을 해설 형식으로 설명한다. 기독교인의 삶에 대한 지시와 방향을 제공하는데, 15분에서 1시간까지 계속된다. 이 때 강사의 인격과 스타일이 무척 중요한 비중을 차지한다. 일반적으로 예전적인 예배가 성례전적이라면, 찬양 예배는 케리그마(말씀의 선포)적이다.

음악은 찬양 예배의 가장 독특한 특징이다. 새로운 악기의 개발, 새로운 곡조, 새로운 가사들은 찬양 예배에 변화를 가져왔다. 노래는 개인적이면서도 공동체적이고, 열정을 표현하는 동시에 묵상하게 만들고, 그리스도 중심이면서 또한 성령에 비중을 둔다. 대개의 경우, 가사가 짧고(한 줄이나 한 절), 성경(보통은 킹 제임스 역)에서 직접 인용된다. 이 노래들은 대부분 사성부의 화음이 없을 뿐 아니라, 전통적인 찬송가의 평박(straight beat)보다는 당김음(syncopated)을 많이 사용한다. 역사적으로 볼 때, 이 음악은 아프리카계 미국인들(African-American)의 영성, 캠프 미팅(천막 부흥 집회)의 찬양, 19세기의 가스펠 찬송, 50년 전 '젊은 기독교인들'을 위해 출간된 유서 깊은 「콕스베리 찬송」, 중고등부 수련회, 캠프파이어 노래, 그리고 히스패닉(Hispanic, 미국에 거주하며 스페인어를 사용하는 라틴 아메리카계 주민 : 역자 주) 찬양 등과 같은 음악 전통 안에 서 있다.[9] 이 음악의 대부분은 신학적으로 보수적인 전통에 따라 만들어지며, 마라나타 음악(Maranatha! Music)이나 인티그리티 음악(Integrity Music)과 같은 대형 출판 보급 회사들이 주도하는 거대한 음악 산업에 의해서 후원된다.

더욱 중요한 문제는 이들 복음성가들이 예배 안에서 어떻게 기능하는가에 관한 것이다. 전통적인 찬송가는 풍부하고 복잡한 음악적 틀 속에서, 성경에 대한 강렬하고도 시적인 가사들에 초점을 맞춘다. 이들 전통적인 찬송가의 목적은 누구에게나 친숙한 기존의 신앙과 성경을 신자들에게 전해주는 것이다. 게다가 전통적인 찬송가의 가사와 곡은 신자들의 묵상과 진지한 신학적 숙고를 위한 도구가 된다. 이와 달리 현대의 복음성가는 그런 부분에 관심이 없다. 대신 찬양하는 사람들에게 스스로를 잃어버릴 정도의 소리 공간(environment of sound)을 만들어주는 것이 목적이다. 동양의 만트라와 같은 기능을 하면서, 성경적인 가사와 기억하기 쉬운 곡의 끊임없는 반복은 찬양하는 사람들을 땅에서 하늘로 옮겨놓는다. 그 다음에는 그 가사와 음악이 사람의 삶을 형성하기 시작한다. 사람들은 흔히 예배중에 부르던 복음성가를 주중에 다시 부르거나 흥얼거린다.

찬양 예배의 가장 흥미로운 부분 중 하나는 새로운 기독교 성가가 계속해서 만들어진다는 점이다. 예전적 교회들이 점차로 복음성가를 자신들의 예배 속으로 끌어들임에 따라, 작곡가나 작사가들은 성만찬, 세례, 교회력의 절기 등을 위한 복음성가를 점점 더 많이 작곡하고 있다. 일반적으로 이들은 공동체에 비중을 많이 두고, 하나님과 사람에 대해 사용하는 언어도 점차로 포용적인 언어(inclusive language)가 되어가고 있다. 아마도 10년쯤 지나면 가사와 곡의 질이 향상될 것이다.

이 때 음악 지도자들에게 주어진 명칭은 예배 인도자이고, 악기 연주자들은 피아니스트로부터 기타, 드럼, 키보드, 금관 악기,

그 외 다른 악기들을 사용하는 완전한 밴드에 이르기까지 다양하다. 가장 잘 준비된 찬양 예배 연주자의 실력은 전문 연주자 못지않으며, 사례비도 상당하다. 많이 사용되는 악기는 디지털 전자 키보드와 타악기다. 디지털 찬송가(수천 가지의 노래와 찬송을 포함한 작은 연주기) 혹은 컴퓨터 연주(MIDI : musical instrument digital interface) 시스템이 모든 음악 연주자들을 대체하는 경우도 있다. 음악과 더불어 OHP(overhead projectors)나 슬라이드 영사기, 신디사이저, 비디오와 데이터 영사기, 자동반주기, CD 플레이어(compact disc players) 등이 그래픽 영사기(graphics display projectors)와 함께 동원되기도 한다.

찬양 예배는 교회에 새로운 시청각 전문 기술들을 소개했다. OHP가 소개되더니 슬라이드 영사기가 등장하고, 지금은 컴퓨터 비디오/데이터 영사기까지 사용되어 그야말로 예배의 모든 것을 보고 듣게 되었다(교회 소식, 신생아의 사진, 성경 구절, 성지 사진과 지도, 공동 기도문, 녹화된 비디오와 지금 찍고 있는 비디오, 그리고 찬양 가사). 회중이 새로운 노래에 접하기 전에 출판사가 그 노래에 대해 판권을 소유하거나 출판할 필요가 없어졌다. 새로운 기술들의 목표는 회중의 감각을 동원하여 그들의 참여를 높이는 것이다. 그 기술들은 사람들의 눈과 목소리를 위로 향하게 하고, 그들의 손을 자유롭게 한다.

찬양 예배가 갖는 문제점 가운데, 특히 음악과 신학적 내용이 갖는 문제들을 살펴봐야 한다.[10] 비록 복음성가의 음조와 가사가 라디오에서 흘러나오는 듣기 좋은 음악처럼 마음에 와 닿는다고 하더라도 이 새로운 음악들에는 여러 세대에 걸쳐 지속될 정도의 깊이와 통전성이 결여되어 있다. 대부분의 가사들은 여전히 사람들이나 하나님에 대해 성 편향적인(gender-exclusive) 언어를 사용하며, 하나님의 주된 이미지를 고대의 '군주'(Lord - 현대의 기독교인들이 이 언어를 실제로 이해하기는 어렵다. '군주'는 외국에 사는 돈 많고 값비싼 옷을 입은 남자를 상상하게 만든다)와 가깝게 만든다. 많은 언어들이 또한 하나님과 '나의' 관계, 혹은 '내가' 어떻게 하나님을 찬양하는지를 강조하며 개인적 체험에 초점을 맞춘다. 게다가 널리 사용되는 현대 음악과 복음성가들은 종종 전통적인 찬송가와 현대적인 찬송가에 대해 문을 닫는다. 찬양 예배의 메시지에도 비슷한 모양의 비판이 적용된다.

기존의 신앙인들이 볼 때 이 예배는 피상적이고 단순하며 현대 문화를 너무 많이 수용하고, 정작 중요한 내용들을 결여하고 있다. 찬양 예배는 자기 만족에 초점을 맞춘 채, 따뜻하고 포근한 느낌만을 만들어낼 뿐이라는 것이다. 당장 경험을 강조하다 보니 성례전이나 성경의 거룩성과 같은 예배의 필수적인 면들이 희미해진다.

예 배 를 확 바 꿔 라

가뭄에 콩 나듯이 성만찬을 행하고, 그나마도 제대로 행하는 경우가 드물다. 구약 성경은 종종 무시된다. 그러나 찬양 예배가 성숙해 간다는 표시로 많은 예배 인도자들 스스로가 '이 예배 형식이 내용을 추구하고 있는가?' 에 대한 질문을 하고 있다.

찬양 예배 인도자들의 역할에 관해서도 엄중한 비판이 가해진다. 비판에 의하면, 찬양 예배의 흐름이 예배의 강사/설교자와 예배 인도자/음악가에게 집중되어 개인 숭배가 조장될 수도 있다는 것이다. 많은 교인들이 '개척한 목사가 더 이상 강단에 서지 않을 때 우리 교회 안에서 어떤 일이 일어날 것인가?' 를 질문한다. 그러나 공평하게 말하자면, 이 질문은 예배 유형에 관계없이 독단적인 지도자들에게는 모두 적용된다. 예배 인도자의 개성에 따라 형성된 다양한 종류의 교회들이 있고, 이들 모두는 통솔하는 목사나 음악가가 떠날 때 어려움을 겪게 될 것이다. 그러나 사실상 찬양 예배를 드리는 교회의 대다수는 그런 식으로 한 두 사람의 개성에 따라 인도되지 않는다. 오히려 성공적인 회중의 대부분은 위계질서를 따지는 대신에, 예배 팀을 구성하고, 예배를 함께 만들어 가기 위해 특별한 은사를 효과적으로 사용하는 지도자를 갖고 있다. 하나님께서는 아브라함부터 모세와 미리암과 드보라와 다윗에 이르기까지, 항상 지도자를 사용해 오셨다. 지도자가 자신을 중심으로 하는 독단적인 지도자가 되는지, 아니면 목표를 형성하고 은사를 나누는 팀 리더가 되는지는 결국 지도자의 리더십에 달린 문제다. 일반적으로 찬양 예배의 인도자들은 예배의 목표(vision)를 세우고, 예배 지도자들과 팀을 이루어 일할 능력과 의지가 있는 것으로 보여진다.

그런데 기존의 많은 예배 인도자들이 찬양 예배에 관해 수없이 많은 질문을 하고 종종 거부반응을 보이는 사이에, 북미 기독교인들, 특히 젊은 세대와 소외된 기독교인들의 상당한 숫자가 찬양 예배에 몰려들고 있다. 기존 신앙인의 자녀들과 그 자손들이 예전적인 예배에서 찬양 예배로 옮겨가고 있다는 것이다.

구도자 예배

현대 예배의 세 번째 대안은 구도자 예배다. 구도자 예배는 시카고 교외에 위치한 월로우 크릭 공동체 교회(Willow Creek Community Church)에서 시작했고 지금도 여전히 드린다. 이 교회의 구도자 예배는 지금은 토요일 밤과 주일 아침에 네 번 드린다. 이 교회는 교회보다는 대형상가(mall)를 닮은 큰 캠퍼스에서 모임을 갖는다. 주차 관리 요원들이 예배자들을 주차 공간으로 안내하고, 뚜렷한 기독교 상징이 없는 큰문의 건물로 인도한다. 수많은 사람들이 최첨단 기술로 지은 강당으로 이동하며, 예배 주보가 아닌 안내문을 받는다. 전문적인 앙상블이 성인 취향의 현대 음악으로 청중의 마음을 편안하게 만든다. 다음에는 연극 팀이 그 날 주제를 발표한다. 주제는 죽음에서부터 이혼, 전직, 아이의 출생에 이르기까지 다양하다. 이후 강사(teacher)가 등장하여 제기된 주제에 관하여 이야기를 한다. 그는 그 날의 문제에 대한 해결이 그리스도가 될 수 있다는 제안하고, 청중을 수요일과 목요일 밤의 신자들을 위한 예배에 초대한다. 헌금 시간이 있기는 하지만, 방문자들은 자신들이 원하지 않는 이상 헌금을 내거나, 노래를 하거나, 이야기를 하지 않아도 된다는 이야기를 듣는다. 소그룹 활동과 여러 모임에 참여하는 기회가 예배 후에 제공된다. 이 주말 예배를 찾는 사람들의 숫자는 대략 15,000명 정도다. 캘리포니아의 새들백 공동체 교회(Saddleback Valley Community Church), 피닉스의 기쁨의 공동체(Community of Joy) 등을 포함한 미국의 예배 공동체가 지금 구도자 예배를 드리고 있다. 그러나 진정한 구도자 예배를 드리는 기성 교회는 소수에 불과하다.

이들 구도자 예배는 우리 문화에 없던 새롭고 독특한 것으로,

현대 예배의 세 가지 유형 중에서 가장 흥미를 끈다. 이들은 교회에 나가지 않는 사람들이나 혹은 교회에 나간 적은 있어도 교회에서 성장하지 않았고 전통적인 종교 언어나 문화에 친숙하지 않은 사람들에게 예수를 소개한다. 구도자 예배의 목적은 교인 명부에 새로운 교인을 추가하는 것이 아니라, 믿지 않는 사람이 예수와 감격적인 관계를 갖도록, 예수를 소개하는 것이다. 이들은 '복음에 낯선 사람', '이방인', '주변인', '더 많은 관심이 필요한 사람' 등의 다른 이름을 갖는다. 이들 구도자들은 전통적인 언어와 동작을 주로 사용하는 예전적인 예배나 찬양 예배를 이해하지 못하고, 그 진가를 인정하지도 않는다. 교회에 나가지 않는 사람들은 익명으로 예배 드리기를 원하고, 참여하지 않을 자유가 있다. 독신자들과 젊은 이들은 독립적이고 급진적일 정도로 창조적인 구도자 예배에 매력을 느낀다.

캘리포니아의 수정 교회는, 초창기 그들의 목회를 기독교인이 아닌 사람들에게 전도하는 것으로 이해했다. 로버트 슐러의 접근은 그들의 선교를 잘 설명해 준다:

믿지 않는 사람들의 필요가 우리의 프로그램을 결정할 것이고

믿지 않는 사람들의 불편이 우리의 방법을 결정할 것이며

믿지 않는 사람들의 문화가 우리의 형식을 결정할 것이고

믿지 않는 사람들의 인구가 우리의 성장 목표를 결정할 것이다.[11]

구도자 예배는 현대 생활에서 부딪히는 문제들을 정밀하게 연출해 낸다. 말과 소리와 볼거리와 행위로 문제를 제기하고, 해답을 제시한다. 하나님이 누구인지, 삶의 목표가 무엇인지, 어떻게 용서하는지, 어떻게 관계를 다루어 나가는지, 어떻게 물질주의가 실패했는지, 어떻게 고난을 이겨낼지 등을 배우려는 구도자들의 필요는 신앙인의 필요와 다를 바가 없지만 그 표현은 현저하게 차이를 보인다. 이 예배의 우선적인 특징은 (모놀로그, 촌극, 혹은 즉흥극을 통한) 연극인데, 프롤로그로서 구도자들의 질문을 제기하고, 나중에 강사의 이야기를 듣는다. 외부인들에게는 수동적으로 보이겠지만, 사실은 대단한 흡입력을 갖고 예배가 진행중이다. 가르침의 내용은 특정한 신앙 공동체의 문제에서 성경 본문으로 이동한다.

모든 구도자 예배는 스스로를 죄인이나 상처받은 사람으로 이해하기보다는 무지할 뿐이라고 이해하는 사람들에게 예수를 소개하는 지식 전달의 역할을 한다. 인도자들은 교회에 나오라는 압력

을 넣지 않으며, 단지 구도자들에게 지금의 경험을 즐기라고 말할 뿐이다. 영국 감리교회의 복음주의자인 롭 프로스트(Rob Frost)는 이 형식을 지지하는 사람이다. 프로스트는 영국의 선술집이나 공공 재판소에서 즉흥적인 촌극을 보여주고, 사람들에게 집 근처의 감리교회 예배에 나가라고 초대하는 식의 구도자 목회를 한다. 새들백 교회의 담임 목사인 릭 워렌(Rick Warren)은 "구도자 예배에는 세 가지 불변의 요소가 있다 : ① 믿지 않는 사람들을 사랑과 존경으로 대하라. ② 예배를 그들의 필요에 연결시켜라. ③ 실제적이고, 이해하기 쉬운 방법으로 말씀을 나눠라"라고 말한다.[12] 구도자 예배의 복음적 과제는 현관(the porch)과 교회의 집(the church household)에 이르는 계단, 혹은 전통적인 신학 언어를 사용하여, 선행은총의 전 입문(precatechesis) 단계를 제공하는 것이다. 그 목적은 예수에 대해 아무것도 모르는 사람들에게 예수를 소개하는 데 있다.

구도자 예배의 분위기는 교회보다는 극장에 더 가깝다. 탁자 하나와 무선 마이크 하나 정도가 놓여 있고, 성능이 우수한 비디오 영사기 화면이 텔레비전과 영화에서 편집된 부분들을 보여준다. 사람들은 편안한 의자에 앉거나, 대화를 촉진하는 둥근 탁자 주위에 앉는다. 윌로우 크릭 교회는 주일 아침에, 다른 많은 경우는 금요일

예 배 를 확 바 꿔 라

이나 토요일에 주보 없이 예배를 드린다. 그들 내에서의 예배와 모든 동작들은 종교적 배경을 전혀 전제하지 않는다.

예배 형식은 그 날의 주제에 의해 좌우된다. 비디오를 상영하고 강연을 하거나, 노래가 끝나고 질문과 대답이 이어진다. 영적인 순례를 인도하는 여행 안내자로서 목사가 주제 중심의 설명적이고 교훈적인 경향의 가르침을 전한다. 설교 시간에는 넓은 길과 좁은 길의 비유를 통해 하나님 나라의 경계가 설명된다. 예배 팀 - 말씀 증거자, 밴드, 밴드 지휘자, 조명 담당, 연극 감독/단원, 가수, 안무가, 율동가 들로 구성된 - 이 예배를 인도하며, 많은 자원 봉사자들이 예배를 인도하고 도와준다.

음악은 구도자인 청중들에 의해 좌우된다. 구도자 예배는 주로 록, 재즈, 랩, 컨트리, 리듬 앤 블루스, 혹은 민속 음악을 사용한다. 타악기와 녹음 테이프를 동원하는 노래는, 대개 회중이 아닌 솔로 가수나 찬양단이 부른다. 복장은 청중의 성향에 따라 다양하다. 카우보이 장화를 신은 설교자가 시골 예배를 인도하고, 목 칼라의 단추를 잠근 옥스퍼드 셔츠와 국방색 바지를 입은 강사가 베이비 부머들에게 이야기를 하고, 검정 진과 네온 셔츠를 입은 연사가 X세대들에게 연설을 한다. 헌금 시간은 있기도 없기도 하다. 교회 공동체에 합류하라는 초대 역시 마찬가지다.

구도자 예배는 참여 중심이나 공연 중심이라는 두 가지 중요한 형식으로 드린다. 새들백 교회와 같은 참여 중심의 형식은 구도자 예배와 찬양 예배를 혼합하였다. 새들백 교회에서는 믿지 않는 사람들에게 믿는 사람들의 예배를 구경하다가, 나중에 그 예배가 편안하게 느껴질 때 합류하라고 한다. 설교는 구도자들을 대상으로 하며, 음악은 현대의 세속적인 노래와 종교적인 노래를 모두 포함하는데, 회중도 함께 부른다. 윌로우 크릭 교회와 같은 공연 중심의 형식은 현대의 세속과 종교적인 음악, 연극, 그리고 기독교의 기본적인 가르침을 이용한다. 이곳에서는 회중이 단지 한 절의 짧은 복음성가를 부르거나, 서로에게 간단하게 인사하는 정도 외에는 나머지 시간 동안 익명성이 보장된다.

많은 관찰자들이 이 예배에 참여하는 구도자들에게 결국 어떤 변화가 일어나는지에 대해 궁금해한다. 그들이 평생 동안 구도자로 남아 있는지, 아니면 찬양 예배나 예전적인 예배로 이동을 하는지……. 그러나 대개는 구도자들을 찬양 예배나 예전적인 예배로 이동시키는 것이 아니라, 그들을 신앙인으로 전환시키는 노력을 한다. 영적인 변화를 겪고 다른 예배로 옮겨가는 구도자도 있지만, 그 과정은 느리고 불확실하다. 윌로우 크릭 교회는 수요일과 목요일 밤의 찬양 예배를 드리는 신자보다 주일 아침의 구도자 예배에 나오는 구도자 숫자가 다섯 배나 많다. 윌로우 크릭 교회 주위의 주류 교회들은 윌로우 크릭 교회의 구도자 예배에서 편입해 들어오는 교인들이 가끔 있다고 보고한다.

대부분의 구도자 예배는 등록 교인이 된다는 것이 구도자들의 요구에 의해서가 아니라 (헌금을 필요로 하는) 교회의 제도적인 필요에 의해 추진된다고 본다. 따라서 대부분의 구도자 예배는 교회에 '합류' 하는 결정을 중요하게 생각하지 않는다. 더욱 현실적이고 충실한 목표는 예배만 드리던 구도자들을 소그룹 성경 공부와 선교에 참여하도록 유도하는 것이다. 구도자 예배 자체가 전적으로 헌신적인 예수 그리스도의 제자를 만들지는 않는다. 일 주일에 한 시간으로 제자를 만들기 어려울 뿐만 아니라, 이 예배는 그런 반응을 기대하지도 않는다. 오히려 예배에 함께 하는 회중들은 구도자들에게 그들의 신앙을 깊고도 풍부하게 하기 위해 소그룹에 참여할 것을 점차로 권유하고, 소그룹 활동 속에서 비로소 제자의 길로 초대한다.

구도자 예배 역시 많은 문제점을 지니고 있다. 회중의 참여가 없는 예배는, 예배 인도자를 중심으로 한 개인 숭배를 조장하게 된다. 그러나 예배 인도자 중에서 많은 이들은 그들이 진행하는 예배 팀과의 공동 작업을 지적한다. 구도자 예배가 다양한 인종들의 관심을 끌지만, '혼자 사는 전문직업인 베이비 부머들'과 같이 협소하게 규정된 청중들은 종종 다른 사람들에 대해 배타적인 태도를 보인다. 구도자 예배는 특정한 청중에게 팔리는 상품이나 종교적 오락이 될 가능성이 있다. 성공은 시장 점유율에 의해서 측정된다. 최근의 컴퓨터 그래픽과 영사기와 같은 첨단 기술은 때때로 그 자체를 위해 존재하는 것이 되고 만다. 더욱 심각한 문제는 구도자 예배에 참석하는 사람들이 신앙인들을 위한 예배로 이동하는 경우가 극히 드물다는 점이다.

가장 부정적인 측면은, 그런 예배가 가끔은 제일 낮은 단계의 공통점이나 자기 도취적인 개인적 필요의 차원으로 신앙을 '격하' 시킨다는 점이다. 많은 신자들은, 진정한 예배가 되기 위해서 어느 정도의 핵심 신조와 활동들이 반드시 포함돼야 한다고 믿는다. 구도자 예배를 지지하는 사람들은 복음의 밥을 먹기 전에 죽을 먹을 필요가 있다고 응수한다. 이 점에 있어서, 많은 구도자 예배의 인도자들은 그들의 예배가 참 예배는 아니며, 사람들을 예수와의 더 완전한 관계로 초대하는 신앙의 소개일 뿐이라고 주장한다. 구도자 예배가 사람들을 전적으로 헌신된 예수와의 관계로 이동시키려면, 신중하고 의도적인 지원과 교육으로 뒷받침을 해야 할 것이다.

예전적인 예배, 찬양 예배, 구도자 예배는 현 시대의 교회를 위한 생존력 있는 대안들이다. 현대 예배의 세 가지 유형 모두는 신학적인 의미를 갖는 동시에 심각한 문제점을 지닌다. 이들 모두는 주변 문화에 민감하고 적응도 가능하다. 그뿐 아니라, 이들 세 유형은 어떤 특정한 문화를 지연시키거나 반대할 수 있는 잠재적인 힘을 갖기도 한다. 가장 좋은 예배는 항상, 문화에 (특정한 사람들, 시대, 장소에서 구체적으로) 동화되기도 하고, (그 특정한 문화를 수정하는) 반문화적이 되기도 한다. 그렇다면 이 유형이 어디에서 유래되었을까? 최근의 예배 갱신 운동을 살펴보면 그들의 기원이 밝혀질 것이다. 현대 예배의 발현지는 그것이 어디를 향해 가는지, 기존의 회중이 어떻게 반응을 할지에 대해서 많은 이야기를 들려줄 것이다.

2

현대 예배의 기원

· **교단적인 예배 갱신** _ 복음적이고 예전적인 예배 유형들을 통합
된 예배 안으로 혼합시키고, 인종적이고 문화적인 전통들을 합류시
키며, 다양한 찬송 음악의 형태들을 결합시키는 의도적인 노력

· **새로운 예배 형식의 등장** _ 교단들의 노력과 동시에 독특하고
새로운 예배 형식을 가진 대안적인 교회들이 발전하였고, 지금은 더
욱 가시적이고 강력한 힘으로 새로운 예배의 지평을 열고 있다.

· **새로운 지평** _ 복음의 진정한 교류는 새로운 형식을 요구한다.

2 현대 예배의 기원

교단적인 예배 갱신 · 새로운 예배 형식의 등장 · 새로운 지평

만일 기성 교회의 믿음 좋은 한 교인이 1960년대 초기에 잠이 들었다가 1990년대 말기에 깨어난다면, 그 사람은 선택의 폭이 넓어진 다양한 형식의 예배를 보고 깜짝 놀랄 것이다. 지금까지 전혀 새로운 예배의 세계들이 펼쳐져 온 것이다. 도대체 무슨 일이 일어났는가?

현대 예배의 근원은 무엇인가? 예전적인 예배, 찬양 예배, 구도자 예배의 기원은 무엇인가? 어떤 상황 속에서 이 예배들이 생겼는가? 답은 단순하게도 최근의 문화다. 최근의 문화적 현실, 새로운 음악적 표현, 변화하는 미적 가치, 개인적 표현의 새로운 형식이 기존의 예배 전통들에 대한 근본적인 재평가를 요청해 왔다. 이에 대한 응답으로, 20세기 후반 교단적인 예배 갱신과 그리고 기존 예배

들과 근본적인 차이를 보이는 새로운 형식의 예배 등장이 이러한 현실과의 만남을 추구해 왔다. 기성 교회 안팎으로부터의 반응은 그 모든 대응 방법에 있어서 현대적인 예배를 따라가는 것이었다.

교단적인 예배 갱신

연합감리교회의 예배를 둘러싸고 일어난 변화는 그리스도의 제자교회, 성공회, 루터교, 장로교, 개혁교회, 캐나다 연합교회, 그리스도 연합교회 등 오래된 주류 교단들 안에서 일어난 변화와 거의 유사하다. 따라서 연합감리교회는 타 교단을 포함한 넓은 범위의 기독교 전통 안에서 일어난 변화들을 읽어내는 데 도움이 될 수 있다. 1980년대와 1990년대 연합감리교회는 자체적으로 예배 생활에 질서를 세우는 노력을 했었다. 1984년 총회는 새롭게 공인된 예배서를 제공하기 위한 노력으로 예배 자료들을 한데 모으는 작업을 승인하였다. 이들 새로운 예배문들은 그간의 예전적 불확실성, 심지어는 예전적 무질서를 해결해 줄 것이라는 기대를 받고 있었다. 자료들을 한데 모으는 과정 속에서 나타난 힘들은, 오늘날 경험할 수 있는 다양한 예배의 선택을 위한 씨앗들을 뿌렸다.

1980년대 초기의 혼란은, 교단 사이에 홍수처럼 넘실거리던 많은 예배 자료들이 예배 인도자들을 압도한다는 느낌에서 출발했다. 이들 예배 자료에는 복음적인 연합 형제 교단(Evangelical United Brethren)의 1959년도 「예전서」(Book of Ritual), 연합감리교회의 1965년도 「예배서」(Book of Worship), 그리고 공식적인 찬송가, 비공식적인 노래집과 더불어 1972년에서 1985년 사이에 출간된 17권의 예배 보조 자료 시리즈 등이 포함되었다. 그런데 이 예배 자료들은 통일성이 결여되었을 뿐 아니라 가끔은 엉뚱하고 개성이 뚜렷하며, 종종 신학적으로 조화를 이루지 못하였다. 일반적으로 이들 예배 자료, 특히 초기 문서들은 목회자와 훈련받은 예배 인도자들의 필요성에 초점을 맞추었고, 남성들에 의해 지배되는 위계적인 교회 모습을 반영하였으며, 성공회 예배 쪽으로 많이 기울어져 있었다. 자료들은 저교회 성공회 신자(low church Episcopalians)처럼 되기를 원하던 국교(성공회)식 연합감리교인들에게 호소력을 지니고 있었다.

그러나 이상의 공식적인 연합감리교회 출판물들이 교단간에 유포되는 예배 자료들을 모두 포함한 것은 아니다. 예배 기획자들과 인도자들은 수많은 독립 교단과 다른 교단의 자료를 얼마든지 볼 수 있었다. 새로운 세대의 학자들이 준비한 웨슬리 예배와 다른 예배 전통에 관한 주요 연구도 등장했다. 젊은 예배학자들은 당시의 예배 형식에 관해 중요한 질문을 했고, 교회 예배 현장을 위해 새로운 방향을 제공하였다. 1980년대 중반쯤에는 교회 지도자들과 교인들의 책꽂이에는 완벽한 세트의 공식적·비공식적인 예배 자료들로 가득할 정도가 되었다. 연합감리교회 예배의 기초를 수정하고, 새로운 예배 유형과 형식이 무르익던 시기였다.

변화를 위한 예전적 압력 외에도, 새롭게 등장한 여러 문화적 힘들 또한 예전적 변화를 요구해 왔다. 여성 목회자와 평신도들이 그들의 독특한 신학적이고 사회학적인 통찰을 통해, 예배에 반영된 신학과 언어와 위계적 형식에 관해 중요한 질문들을 해 왔다. 사회는 점차로 다문화화, 세계화 되어 갔고, 백인이 아닌 예배학자들이 예배학 분야에서 자신들만의 독창적인 기여를 해 왔다. 서구 사회는 인쇄된 문자와 제본된 예배서에서 시청각 문화로 전환하고 있었다. 마지막으로 세대차이, 특히 베이비 부머들과 그들의 부모 세대 간의 세대차이, 그리고 베이비 부머들의 자녀들과 손자들이 예배의 근본적인 변화를 요구하였다.

복음을 새로운 방법으로 표현하려는 요망들과 더불어 통합과 문화적 적응에 대한 압력은 1982년의 「연합감리교회 찬송가」(우선적

으로 일반 교인들을 고려함)와 1992년의 「연합감리교회 예배서」(우선적으로
예배 기획자와 인도자들을 고려함)의 출간을 가능케 하였다.[1] 1992년도 총
회에서는 이 두 책만을 연합감리교회의 공식적인 영어 예배서로 채
택하였다.[2]

　　이 두 책은 연합감리교회에 지대한 공헌을 하고 있다. 목회자
와 평신도에게 도움이 될 뿐 아니라(예를 들어 예배 인도자들의 길잡이가 되
는 붉은 글씨의 간단한 설명들만 이용하더라도 큰 도움이 됨), 상호간의 내용이 조
화를 이루고(예를 들어 참조 표시), 성경에 초점을 맞추며(성서일과가 중심이
됨), 인종간의 다양성을 긍정하고(예를 들어 라스 뽀사다스와 같은 남미계 미국
인들Hispanic의 대강절/성탄절 예배를 포함한 것과, 아프리카계 미국인들의 음악에 대한
새로운 이해와 존중 등), 세계의 다양성을 반영하며(스리랑카의 나일즈 D. T.
Niles의 기도에 표현되었듯이), 교회 내에서 점증하는 여성의 역할과 특수
한 필요들을 인식하고(포용적 언어inclusive language의 사용과 특별히 여성들을
주제로 하는 성서일과의 새로운 내용들에서 볼 수 있듯이) 에큐메니컬한 예배 갱
신과 일치를 지지하며(예를 들면 말씀과 성찬의 예배 형식), 웨슬리 전통과
복음적인 전통에 대한 새로운 이해를 표현한다(예를 들어 애찬식과 그리
스도의 제자 됨으로의 초대). 이 두 책은 전례를 찾아볼 수 없을 정도로 포
괄적이며, 높은 기준에 의거해서 만든 예배서와 찬송가다. 거의 모

든 연합감리교회 회중들이 현재 이 책들을 사용하고, 이 책들은 연합감리교회의 규범적인 예배 신학과 실제를 근본적인 차원에서 형성하고 있다.

연합감리교회의 찬송가와 예배서는 모두 예배에 대한 공통의 전제를 갖고 있다. 첫 번째 전제는 예배의 형식(공식적이고, 인쇄된 모든 표현)이 교회의 처음 4세기 이전의(교회사의 교부 시대) 예배에 근거를 두어야 한다는 것이다. 예배 갱신을 위한 100년에 걸친 노력으로 1960년대 제 2 바티칸공의회에서 절정에 달했던 로마 가톨릭 교회의 갱신 운동과, 20세기 중반에 시작해서 새로운 세대의 찬송가와 예배서를 출현시킨 개신교의 예배 갱신 운동 등은 모든 기독교 예배의 근거를 초대 교회에 두어야 한다는 것이었다.[3] 이러한 노력의 목표는 다양한 기독교 공동체들이 교회의 주요 분열 이전으로 돌아가서 공동의 예배를 나눌 방법을 찾음으로써 더 큰 교회 일치를 이루어내자는 것이었다. 결과적으로 초기 예배는 연합감리교회의 주일 예배와 성례전에 대한 기초를 제공하였다. 교부 시대에 근거한 동일한 예배들은 최근에 출간된 다른 모든 기도서들(예배서들)과 거의 유사하며, 이는 예배에 있어서 20세기에 대한 4세기의 승리를 의미한다.

초기 예배 형식에 대한 강조 외에도 예배에 대한 다른 전제가

이 두 책을 형성하였다. 복음적이고 예전적인 예배 유형들을 통합된 예배 안으로 혼합시키고(예를 들어 말씀에 대한 응답에 그리스도의 제자 됨으로의 초대를 추가함), 인종적이고 문화적인 전통들을 합류시키며(예를 들어 죽음과 부활의 예배에 아프리카계 미국인들의 가족예배 – Wake – 와 같은 것들을 포함시킴), 다양한 찬송 음악의 형태들을 결합시키는(예를 들어 전통적인 서구의 찬송가에 다른 인종, 민족들의 찬송가를 포함시킴) 의도적인 노력들을 포함하였다. 역시 기본 전제는 말씀 설교를 중심에 두고, 성례전을 중요하게 여기는 웨슬리적 예전의 핵심을 이해하는 새로운 접근이었다. 교단(연합감리교회를 뜻한다 : 역자 주)은 이들 전제들을 최소한 암묵적으로라도 모두 수용하였다.

공식적인 두 책에 새롭고도 중요한 노력들을 반영했지만(찬송가에 수록된 매일의 찬양과 기도회와 예배서에 수록된 치유 예배와 축복 기도 들이 특히 주목할 만하다), 그것은 일차적으로 통합을 위한 보수적인 노력들이었다. 위원회는 고전적인 서구 예배의 전통 안에 있는 다른 교회들의 문서 자료를 주로 사용하였다. 예를 들어 연합감리교회의 위원회는 로마 가톨릭 교회, 장로교, 성공회, 그리고 광범위한 서구 예배 전통 안의 다른 교단들과 협의하였다. 이들과의 대화는 연합감리교회 예배를 매우 의미있는 방식으로 질을 높이고 풍부하게 만들었다.

위원회는 가능한 부분을 취하고, 예전적 전제들이 공유되는 부분을 사용하였으며, 그에 따라 풍부한 자료들을 축적하였다.

그러나 문제가 생겼다. 난관이 있으리라 예견되기는 했지만, 그것이 미친 충격은 회고를 통해서 분명해진다. 이 비판은 위원들의 전문성이나 경쟁력에 대한 개인적인 공격이 아니라, 단지 북미 사회와 비교해서, 누가 위원이 되었느냐에 대한 승인의 문제였다. 위원들이 지역적으로, 성적으로, 인종적으로, 그리고 교단에 중요한 다른 방향들 안에서 포용적이었던 반면에, 치명적인 부분에서 북미 사회를 반영하지 못하고 있었다. 찬송가 편찬 위원회는, 29명 중 5명만이 40세 미만이었다. 모든 구성원들은 교회에서 성장하였고, 기존 예배의 본질적인 숭고함을 믿었으며, 개교회 활동에 능동적으로 참여하고 있었다. 예배서 편찬 위원회는, 22명 중 4명만이 40세 미만이었고, 모든 구성원들은 찬송가 편찬 위원회의 구성원들과 동일한 가치 체계와 종교적 배경을 갖고 있었다. 위원회는 평생토록 매주 기존 교회의 활동에 참여해온 자신들과 비슷한 사람들을 위해 음악과 예배서를 만들었다.

위원회의 작업을 지원하면서, 거의 모든 연합 감리교인들과 다른 예배학자들이 그들의 보수적인 노력들을 승인하였다. 학자

예 배 를 확 바 꿔 라

들은 과거 역사에 대해 압도적인 관심을 보이며 개정 작업을 도왔고, 과거의 문화적 · 예전적 업적들을 고증해 주었으며, 진정한 예배를 위한 기준을 설정했는데, 이는 비전통적인 청중들을 대상으로 한 새롭고 창조적인 예배 형식들을 배제하는 결과를 가져왔다. 그리하여 두 책은 그것을 만들었던 사람들과 유사한 사람들을 위해 세상에 나오게 되었다.

새로운 예배 형식의 등장

연합감리교회의 위원회들과 미국 장로교회, 그리스도교회(그리스도의 제자들), 캐나다 연합교회, 연합그리스도교회와 같은 다른 교파의 위원회들이 새로운 찬송가와 예배서를 편집하던 바로 그 때, 급진적으로 다른 모습의 교회들이 북미 내에서 발전하고 있었다. 일반적인 교단들의 노력과 거의 동시에 독특하고 새로운 예배 형식을 가진 대안적인 교회들이 발전하였고, 지금은 더욱 가시적이고 강력한 힘으로 새로운 예배의 지평을 열고 있다.

이들 새로운 교회 중에서 처음 등장한 교회들은 획기적일 뿐 아니라 눈에 띌 정도로 비전통적이었다. 북 캐롤라이나 주 애쉬빌에 위치한 희년 공동체(Jubilee Community), 워싱턴 D. C.에 위치한 구세주 교회(the Church of the Savior), 테네시 주 내슈빌에 위치한 에지힐 연합감리교회(Edgehill United Methodist), 캘리포니아 주의 샌프란시스코 공동체(the Community in San Francisco) 등의 교회와 그리고 여성교회 운동(the Women Church Movement)과 같은 비회중 예배 운동(무교회주의와는 다른 차원이다. 교인들이 함께 모여 예배하는 전통적 집합 예배가 아닌, 목적을 위해 같이 일하기는 하나 장소나 모임에 구애받지 않는 형태의 예배 운동이다 : 역자주)이 전혀 기대하지 않았던 방향으로 예배를 몰고 갔고 지금도 진행중이다. 그들은 각각 기독교의 마지노선까지 예배를 밀고 나갔다(어떤 사람들은 이미 그 한계를 넘었다고 주장한다). 이들의 공통점은 예배가 공동체 생활의 중심이라는 것이다.

이상의 교회들과 운동들은 예배를 위한 새로운 청중을 발견하였다. 이들 중 많은 교회들이 큰 도시에 위치하며, 다른 교회에서 소외된 청중이 매력을 느끼고 있다. 교인들은 대개 혼자 사는 사람, 젊은이, 대안적 가족의 구성원, 문화적으로 다양한 사람인 경우가 많다. 많은 사람들은 교회 배경이 없으며, 선불교부터 흑인영가에 이르기까지 광범위하고 다양한 영적인 배경들을 예배 안으로 들여온다. 이러한 예배는 공동체를 찾는 이방인들의 필요에 응답한다.

예 배 를 확 바 꿔 라

그래서 기발하고, 창의적이며, 무척 다양하다. 또한 복음적인 기독교 신학을 반영하는 경우도 있고, 정통 기독교라고 보기에 어려운 신학을 반영하는 경우도 있다. 사람들은 개조된 집, 나이트 클럽, 혹은 카페테리아 등지에서 예배 드린다. 형식은 열려 있으며, 편안한 옷을 입으면 된다. 이들 교회에는 카리스마적인 인도자들이 포진하고 있다. 그들의 음악은 신디사이저와 같은 현대 악기와, 드럼과 같이 관습에서 벗어난 악기들을 포함한다. 언어는 포용적인 (inclusive) 경우가 많으며, 생태학적 관심이 무척 중요한 비중을 차지한다. 이들 대안적 교회들은 독특하고 새로운 예배 방법들을 제공하고 있지만, 그들의 예배 모델은 아직 예배 인도자들과 전문가들의 진지한 관심을 받지 못하고 있다.

새로운 예배 유형의 두 번째 출처로서, 전통적인 예배에 뿌리를 둔 채 자신들의 영역을 넓혀나간 독특한 문화적 색채의 교회들이(새로운 이민자들로 구성되는 경우들도 있음) 있다. 워싱턴 D. C.에 위치한 이마니 교회(Imani Temple), 시카고에 위치한 아프리카 로마 가톨릭 교회(the African Roman Catholic Church), 애틀랜타에 위치한 벤힐 연합감리교회(Ben Hill United Methodist Church)와 같은 아프리카계 미국인들의 회중은 흑인 중심의 아름다운 예배를 드린다. 복장, 음악,

예전, 설교 모두 도시에 거주하는 현대의 아프리카계 미국인들을 대상으로 한다. 마찬가지로 다른 많은 교회들 가운데 한국인, 토착 미국인, 남미계 미국인, 남아시아인, 흐몽인(라오스의 산악 지대에 거주하는 사람들로서 라오스인들과는 다른 문화와 방언을 지니고 있다 : 역자 주) 교회들이 또한 단일 문화 공동체를 잘 반영하고 표현하는 새로운 예배 유형을 만들고 있다(이들 모두 공동체 안에 더 작은 그룹과 다양성을 지니고 있다). 특히 미국에 이민 온 지 얼마 되지 않은 새로운 이민자들의 예배는, 기존 교회의 예배와 두드러진 차이를 보인다. 지난 10년 동안 소수의 인종 공동체를 위해 연합감리교회는 이전과는 근본적으로 다른 예식과 노래 등을 담은 노래집과 찬양집을 만들어 왔다. 인종과 문화를 반영한 예배 요소들이 증가하고 있다. 어떤 전통적인 찬송가나 예배서라도 인종적 예배 표현을 이만큼 총체적으로 포괄할 수는 없을 것이다.

마지막으로 도시 중심부나 작은 부락과 공동체에서 생겨나는 신 복음주의(neo-evangelical) 교회들(가끔은 신 오순절 교회들)이 있다. 종종 교회에서 자라지 않은 젊은 신자들에 의해서 인도되는 교회들은, 기존의 예배가 관심을 갖지 않았던 사람들이나 전혀 교회에 나간 적이 없는 사람들을 대상으로 전도한다. 이들 중 몇 교회는 초대형

예배를 확 바꿔라

교회지만 대부분의 교회는 아주 작은 교회로 남아 있다. 때때로 교회 성장 운동과 관련되는 이들의 예배 형식은 영적인 찬양과 감정이 동원된 '열광적인' 예배로 분류되어 왔다.[4] 그들은 18세기 루터교, 개혁교, 감리교회 전통 속에 있던 경건주의 운동(개인적 성화를 강조함)과 19세기 미국 개척자들이 주도한 천막 부흥 집회의 현대적 후예들이다. 1837년 그의 유명한 저작인 「종교의 부흥에 관한 강론들」에서 부흥의 유형을 묘사하고 조직화한 찰스 피니(Charles G. Finney)는 이들 집회에서 즉각적인 인간의 경험이 강조되어야 한다고 기록하고 있다.[5] 수년 동안 부흥중이던 플로리다 펜사콜라의 브런스빌 하나님의 성회(Brownsville Assembly of God)는 이런 예배 유형의 하나를 보여준다.

이러한 대안적 교회들의 발전에도 불구하고, 모든 주류 교회의 찬송가와 예배서 편찬 위원회들은, 서로 거의 대화를 하지 않고 지내왔다. 예를 들어 기도서(예배서) 전통이 없는 교회와 예배 인도자는 예배 발전에 공헌하지 않은 것으로 간주되었다. 그러나 비 예전적인 교회들도 다른 형식의 풍부한 예배 전통을 소유하고 있으며, 새로운 형식을 실험하고 있다. 위원들은 예배의 형식이 급진적으로 새롭거나, 독특하게 문화화했거나, 혹은 신 복음주의적이거나 간에 이들 기독교 예배 공동체들에 관해 진지한 연구를 하지 않았다. 예를 들어 찬송가에 관한 논쟁은 주로 인종별 찬송가와, 오래된 복음 성가와, 고전적인 찬송과, 새로운 찬송가를 얼마나 많이 포함시킬 것인가에 관한 것이었다. 현대의 복음주의적인 복음성가나 남미계 미국인들의 영가는 적절한 주목을 받지 못했다.

요약해서 말하자면 공식적인 찬송가와 예배서 편찬 위원회들의 비전(vision) 영역이 너무 좁았고, 만들어진 책은 위원회에 앉아 있던 사람들과 비슷한 감성을 가진 신앙인들을 위한 것들이었다. 근본적으로 새로운 예배 유형과 형식을 유도해 온 세속 문화의 점증하는 영향력에 비추어 볼 때, 공식적인 자료들은 너무나 좁은 관점을 드러내었다.

새로운 지평

이 과정을 시각화한 이미지는 높은 산맥의 길이다. 통과할 수 있는 유일한 길이 협곡인 산맥을 상상해 보라. 길고 험난한 여행 끝에 한 나그네가 산맥의 정상에 도착하였다. 많은 시간과 정력과 돈과 전문 지식이 이제까지의 여행을 위해 사용되었다. 언뜻 보기에 이 여행은 성공인 것 같았다. 그러나 나그네가 좁은 골짜기를 통해 이동했을 때, 깜짝 놀랄 만한 광경이 나타났다. 상상도 못했던 전혀 새로운 땅이 펼쳐진 것이다. 그제서야 나그네는 여행이 이제 막 시작되었을 뿐이라는 것을 깨닫는다.

　　다른 기성 교단들의 예배 갱신과 마찬가지로 연합감리교회도 1984년에서 1992년까지 구할 수 있는 예배 자료들을 다 모아 범위를 좁히고, 공식적인 책에 수록되도록 관심을 집중하면서 부지런히 작업했다. 많은 자료들을 골라내고, 초점을 조정하는 가운데 예전적 예배로서의 가치가 더하여졌다. 규범적인 새 예배서를 만들어 내는 것이 목표인 것 같았다. 그러나 교단에서 새 예배서를 출판했을 때는 전혀 다른 새로운 세계가 등장하였다.

　　새로운 찬송가와 예배서를 향한 여행은 판도라의 상자를 열었다. 변화를 요구하고 다른 공동체에 대한 응답을 요구하는 목소리를 들음으로 인해, 예배 유형과 형식의 갱신은 더 이상 과거와 신앙인들의 목소리에만 귀기울이거나 전문적인 예배학자들에게만 응답할 수 없게 되었다. 제임스 화이트(James White)의 관찰대로, "예배에 대한 교회의 중앙집중식 통제"가 예배 갱신을 가로막을 수도 있지만, 그렇다고 해서 그것이 갱신을 완전히 멈추는 데 성공한 적은 단 한 번도 없다.6)

오늘날은 새로운 문화가 새로운 지평을 급격하게 열어 가고 있다. 과거처럼 혼자서만 미래를 준비할 수가 없다. 새로운 기독교인들의 목소리는 중앙집중식 권위가 상상도 할 수 없었던 비전통적인 가능성을 제공한다. 복음의 진정한 교류는 새로운 형식을 요구한다. 진정한 예배를 통해 하나님을 향한 여행은 계속된다.

예 배 를 확 바 꿔 라

3

세대간의 문화 전쟁

· **개척자 세대** _ 예전적 예배를 선호하며 교회가 젊은 층을 겨냥한 목회를 할 때 노여워하는 사람들도 있다.

· **베이비 부머 세대** _ 어떤 종교나 권위를 사용하든지 간에 그들에게 삶이 과연 무엇인지를 보여줄 지도자를 원한다.

· **X세대와 Y세대** _ 세대간의 문화가 다른데도 대부분의 기성 교회들이 단일한 유형과 형식으로만 예배 드리는 것은 참으로 불행한 일이다.

· **예배에 미친 영향** _ 교회가 자녀들과 손자들, 그리고 교회에 나가지 않는 친구들에게 신앙을 갖게 하려면, 예전적인 변화가 필요하다.

3 세대간의 문화 전쟁

개척자 세대 · 베이비 부머 세대 · X세대와 Y세대 · 예배에 미친 영향

현대 예배를 필요로 하는 새로운 세계는 도대체 어떤 세계인가? 지금의 북미 문화는 불과 10년 전과 비교하더라도 엄청난 차이를 보인다. 새로운 공동체, 새로운 통신 방법, 새로운 기회가 교회 앞에 놓여 있다.

기존의 교회 역사는 대체로 다음과 같다. 처음에 교회는 동네 교회로 시작되었다. 백년도 넘는 그 옛날에, 작은 마을에 교회를 세운 사람들은 마을에서 일을 하며 살아가던 가족들이었다. 초기의 몇 십 년 간은 교인들 몇 명만이 늘 비슷한 숫자로 모였다. 그러나 마을이 커짐에 따라, 교회도 같이 성장하기 시작하였다. 교회 성장은 새로운 아기와 어린이들이 교회를 가득 채우던 1950년대에 정점에 달했다. 1950년대가 지나면서 다 자란 자녀와 손자들이 교회

를 떠나자 교인들은 점점 고령화되어 갔다. 이웃들이 달라졌다. 나이 많은 교인들과 전혀 관계 없는 젊은 가족들이 마을로 이주해 들어왔다. 이들 중 몇 가정은 수십 마일을 운전하여 더 크고 프로그램이 풍성한 교회들을 찾아갔고, 1945년 이전에 태어난 사람들과 그 가족은 주일 아침마다 동네에 머물렀다. 지금은 주로 노인들이 (처음 생긴) 마을 교회에서 예배 드린다. 소수에 불과한 55세 이전의 사람들은 그나마 마을 교회에서 성장한 사람들이다. 예배 참석자들은 해마다 줄고 있다.

문화적 변화 가운데서도, 세대 차이가 예배에 가장 큰 영향을 미쳤다. 개척자 세대(1945년 이전에 태어난 세대), 베이비 부머 세대(1945년에서 1964년 사이에 태어난 세대), X세대(1965년에서 1976년 사이에 태어난 세대), Y세대(1976년 이후에 태어난 세대)들은 서로 엄청난 차이를 보인다. (원문에서 X세대는 the baby busters로, Y세대는 the millennials로 되어 있으나 여기서는 한국 독자의 이해를 돕기 위해 X, Y세대로 표현한다 : 역자주) 부족하지만 다음의 범주들은 각각의 세대가 살고 있는 세계와, 그들이 예배에 미친 영향을 묘사하는 데 도움이 된다.

개척자 세대(1945년 이전 출생자들)

개척자 세대는 1908년에서 1926년 사이에 출생한 세대와 1927년과 1944년 사이에 출생한 세대로 나뉜다. 그들은 55세 이상(2005년 현재로는 61세 이상 : 역자 주)의 연령층에 속한다. 물질의 제한, 절약, 충성, 자기 부정을 특징으로 하는 문화 속에서 성장해 온 세대는 작은 마을과 시골 환경 속에서 자랐으며, 대공황과 세계 대전을 겪었다. 그들은 강한 미국을 만들었고, 자녀에게 할 수 있는 모든 것을 해주겠노라고 다짐했던 세대들이다. 그들의 영웅은 찰스 린드버그(Charles Lindbergh)와 에밀리아 이어하트(Amelia Earhart)다. 린든 존슨(Lyndon Johnson)과 로날드 레이건(Ronald Reagan)이 이들 세대 중에서 대통령을 지낸 인물이다. 빅 밴드가 새로운 라디오 채널 방송의 주군이었다면, 오르간은 교회 음악의 제왕이었다. 개척자들은 미국이 기독교 나라라고 믿었고, 압도적인 숫자의 사람들이 교회에 소속되는 것이 가치 있는 일임을 받아들였다. 개인적 기대들이 높았던 반면에, 가족과 사회적 역할은 엄격하고 인격적이었다. 기존의 가치 체계가 긍정되었으며, 여간해서는 아무런 의문도 제기되지 않았다. 개척자 세대들이 미국 인구의 3/4(약 6,800만명)을 차지하는 반면, 연합감리교회에

는 이 세대들이 전체 회원의 2/3를 차지하고 있고 이 중 절반 이상
이 예배에 참여한다.

신학적으로 볼 때, 이 개척자 세대들은 자기 부정의 윤리를 긍
정한다. 그들은 가정, 교회, 국가가 개인보다 우위에 있음을 강조한
다. 공동체가 개인보다 더욱 중요하다는 것이다. 그들은 하나님을
하늘 위에 초월적으로 존재하는 심판자나 지배자로 본다. 창조는
인간의 복지를 위해 존재한다. 죄 많은 인간들이 하나님을 거부하
였지만, 십자가에 달리신 그리스도의 대속으로 인해 사람들은 죄에
서 구원받는다. 성경은 최고의 법전이며, 교회는 죄로 물든 세상에
서 안식처를 제공한다. 개척자들은 대부분의 기성 교회들을 규정해
왔고 지금도 여전히 통제를 가하고 있다. 개척자 세대는, 그들의 자
녀들이나 손자들의 상당수가 거부감을 보이는 예전적 예배의 많은
부분을 형성해 왔으며, 여전히 그 예배를 선호한다.

개척자 세대는 현재 중요한 변화를 겪고 있다. 가족들이 성장
해서 멀리 이주함에 따라 교회에 대한 요구와 관계가 변한다. 예를
들어, 퇴직해서 여행을 자주 할 가능성이 생기고, 심지어는 완전히
새로운 도시로 이사하기도 한다. 비어 있는 보금자리와 퇴직 후의
시간들은 때때로 결혼 생활에 어려움을 가중시킨다. 경제적인 자유

는 성장을 위한 새로운 기회를 제공하기도 하지만, 경제적 근심은 사람을 더욱 완고하게 만든다. 이들의 변화가 교회에 미치는 영향은 이제 시작에 불과하다. 예를 들어, 어떤 교회에서는 더 이상 예배에 참석하지 않는 혹은 예배에 자주 빠지는 노인들의 숫자가 늘고 있다. 개척자 세대 중에는 교회가 젊은 층을 겨냥한 목회를 할 때 노여워하는 사람들도 있다. 기존 교회의 대다수는 여전히 개척자 세대의 통제를 받으며, 예배 역시 그들의 통제를 받고 있다. 개척자들은 여전히 많은 목회와 돌봄을 필요로 하며, 교회에 대해 어떻게 그들이 계속 도움 받을지를 묻는다.

베이비 부머 세대(1945년부터 1964년 사이의 출생자)

개척자 세대의 자녀인 베이비 부머(baby bomer)는 북미 문화 유일의 최대 집단(전체 인구의 거의 1/3인 7,800백만명)을 이룬다. 이들 부머들은 미국 문화의 구석구석까지 영향을 미쳐 왔다. 민권 운동과 베트남 전쟁, 1970년대의 자유, 레이건 열풍 등이 '자유 정신' 의 세대를 형성했다. 이들의 영웅은 마틴 루터 킹(Martin Luther King), 존 에프 케네디(Jr. John F. Kennedy), 글로리아 스타이넴(Gloria Steinem, 여권 운동의 지도자 : 역자 주) 등이다. 그들은 로큰롤(Rock and roll)과 미키 마우스 클럽 등과 성장하였다. 그들은 정의롭고 인간적인 사회를 만들어 가는, 주도적인 변화의 매개자가 되기를 갈망한다. 이들 가운데는 도시에 거주하며 혼자 사는 사람이나 작은 가족을 이루며 살아가는 맞벌이 부부가 많다.

베이비 부머는 봉사 받기를 원하고, 삶의 모든 측면에서 단기간의 구체적이고 즉각적인 선택을 기대하는 소비자들이다. 음식이든, 섹스든, 신앙이든 고품질과 즉각적인 만족을 원한다. 종종 탐욕스럽고, 물질적이며, 자기 도취적이다. 친밀하고 진실한 관계를 찾으면서도 그런 밀접한 관계를 제공하거나 받아들이는 것이 어렵다는 것을 안다. 새로운 경험을 추구하는 그들은 끊임없는 변화 속에서 살아간다. 또한 혁신적이면서도 실용적이고, 일에 열중하면서도 개인적 공간을 희구한다. 모든 진리를 상대적으로 바라보며, 그들은 계속 질문하고, 대답을 원한다. 대다수가 교회에서 자라지 않은 만큼 세속적이다. 반면에 자신들이 인종차별을 하지 않고 인내할 줄도 안다고 생각한다. 그들은 세계가 과학적이고 합리적인 방법들 안에서 설명될 수 있다고 믿는 계몽주의의 마지막 세대들이다. 성경과 음악에 무지하고, 텔레비전과 라디오에 따라 행동의 규범들을 배운다. 그러나 베이비 부머가 중년층으로 이동함에 따라, 그들은 의미와 가치와 진리를 절실하게 찾고 있다. 크랙 밀러(Craig Miller)가 묘사했듯이, 상처입고, 외로운 그들은, 뿌리도 없이 진리를 찾아 헤매고 있다.[1)

베이비 부머를 다루기 어려운 점 중 하나는 그들의 다양성이다. 어떤 이들은 무척 보수적이고 전통적인 반면에, 다른 이들은 극도로 진보적이고 혁신적이다. 대부분은 그 중간 어딘가에 걸쳐 있다. 빌 클린턴(Bill Clinton)과 러쉬 림바우(Rush Limbaugh)의 가치와 실패는 30대, 40대, 50대 초반의 공통점과 다양성을 모두 반영한다. 부머들의 또 다른 범주는 여피족들(도시의 젊은 전문가들)에서 경제적 성공의 변두리에서 열심히 일하는 사람들 사이의 모든 것을 포함한다. 물론 모든 범주에는 예외들이 있다.

부모 세대와는 정반대로, 베이비 부머의 신학은 항상 자기 완성을 추구해 왔다. 그들은 동양의 영적 교사(guru)나 자아 실현 세미나 등을 통해 의미를 찾으려고 한다. 뉴 에이지 신앙들로 발전되면서, 그들은 「하늘의 예언」을 읽어 왔고, 천사를 기다리기도 한다. 조셉 캠벨(Joseph Campbell)의 신화적 영웅은 그들의 신앙 여정을 묘사한다. 지금은, 자아 성취의 윤리가 살아있는 모든 세대가 공유하는 지배적인 관점이 되었다. "나는 아이들의 유산을 운전하고 있다"라고 쓴 스티커를 붙인 채, 값비싼 이동식 집을 운전하는 개척자 세대는 자아 실현의 윤리가 얼마나 광범위하게 확산되었는지를 보여준다.

베이비 부머는 하나님을 만유에 편재하시고, 항상 가까운 곳에 계시는 자비로운 우주의 창조자로 이해한다. 하나님은 모든 피조물과 사람들을 자신의 형상에 따라 선하게 만드셨다. 하나님에게서 소외는 죄라기보다는 불완전과 공허함으로 이해된다. 예수는 사람들이 귀를 기울여야 하는 좋은 선생으로 인격화된다. 성경은 삶의 지도를 제공하고, 교회는 하나님을 발견하는 많은 곳들 중 하나다. 교회에 소속하는 것이 가치 있는 일이라고 믿는 사람들의 숫자는 이 세대의 반도 안 된다. 항상 그래왔고 앞으로도 그럴 테지만 어떤 이들은 교회에 잘 나가는 신앙인들이고, 일부는 교회에 가본 적도, 관심도 없는 사람들이며, 또 다른 이들은 무엇을 믿어야 할지도 모른다. 베이비 부머는 어떤 종교나 권위를 사용하든지 간에 그들에게 삶이 과연 무엇인지를 보여줄 지도자를 원한다. 믿지 않던 부머들이 구도자 예배를 발견하는 사이에, 예전적인 예배 환경에서 성장한 부머들은 찬양 예배에 점차 매력을 느끼고 있다.

예 배 를 확 바 꿔 라

X세대와 Y세대 (1965년 이후 출생자들)

마지막으로 X세대와 Y세대가 점차 북미 문화를 규정하고 모든 회중들의 예배를 발전시킬 것이다.[2] 부머의 젊은 형제 자매나 자녀들인 X세대는 미국 문화에 대해 둘째로 영향력 있는 세대다. 거의 4,500만명(미국 인구의 15%)에 이르는 이들 세대는 "세서미 스트리트(Sesame Street)"에 의해 어릴 때부터 형성된 빠르고, 말 많고, 자극적인 소리의 세대로서 전자 문화와 컴퓨터 문화에서 살아간다. 그들은 MTV, VH1, CMT 등의 방송을 통해, 록 음악, 랩 음악, 컨트리 음악 등을 보고 듣는다. 그들은 과학적이고 물질적인 세계관을 더 이상 엄격하게 믿지 않는 근대 후기 세대다. 스트레스와 환멸감과 소외감에 시달리며, 지금까지 한 번도 가져보지 못한 가족을 찾아 헤매고 있다. 피임약과 낙태의 시대에 태어난 그들은 부모로부터 선택된 세대라는 이야기를 듣는다. 그러나 그들은, 자기 부정의 개척자 세대와 자아 실현의 부머 세대에게서 소홀히 대접받고 무시당한다고 느낀다. X세대는 깨진 가정 속에서 부모를 그리워하며, 학교를 중퇴하기도 한다. 그들은 맞벌이 부부 아이들이며, 본격적인 탁아소 세대다. 또한 찰스 황태자와 다이애나 비의 결혼과 이혼, 다이애나 비가 추구한 독립과 그녀의 죽음, 우주 여행과 우주선 챌린저호의 폭발, 지구의 날들이 지켜지는 가운데서도 곳곳에서 일어나는 환경의 악화를 지켜보았다.

행동주의에 대한 개인 참여와 고래나 열대림의 보존과 같은 문제들에 헌신하는 X세대는 사이버 공간과 인터넷 항로를 만들어냈다. 에이즈에 대한 공포는 호기심 많고, 즉흥적이고, 조심스러운 성생활을 규정한다. 미래에 대해 염세적인 X세대는 방향을 잃었다거나 외롭다고 느끼며, 경제·소명·관계·영적인 희망을 상실하고 있다. 일하기 위해서 사는 부머들과 달리, 이들 세대는 살기 위해서 일한다. 이들은 무척 경쟁적이며, 자신들의 개인적인 노력이 성공을 가져다 줄 것이라고 믿는다. 머리를 빡빡 깎은 스킨헤드들은 커트 코바인(Kurt Cobain, 록음악 그룹 Nirvana의 리드보컬이자 기타리스트)의 자살을 이해하는 X세대의 무정부주의자들이다. "프렌즈(Friends)"와 "세인펠드(Seinfeld)"는 그들이 좋아하는 텔레비전 쇼다. 부모와 조부모 세대의 자기 부정이나 자아 실현의 윤리와 달리, X세대 윤리는 생존이다. X세대는 자기 부정의 윤리를 이해하지 못하고, 자아 실현의 윤리에 의해서 피해를 입었다고 느낀다.

그들의 생존 윤리는 뚜렷한 특징을 지닌다. X세대는 하나님의 존재를 반신반의하고, 예수 그리스도와 성경에 대해 무지하며, 교회와 별 관계가 없다고 생각한다. 하나님은 어딘가에 존재하는 모호한 영이고, 예수는 고대의 교사며, 천국과 지옥은 신화적 구조물일 뿐이다. 전적으로 세속화된 공립 학교의 틀 속에서 자라난 첫 세대로서, 그들은 상황이 배제된 도덕적·종교적 절대란 존재하지 않는다고 생각한다. 상황 윤리만이 유일한 절대가 된다. 그들은 철저히 독립적이다. 모든 단체 기관들은 의심의 대상이 된다. X세대의 대다수는 교회에 나가지 않으며, 단지 1/3만이 교회에 소속하는 것이 가치 있다고 믿는다.

교회와의 이런 거리에도 불구하고, X세대는 그들을 있는 그대로 받아주고, 깊은 관계를 이루어가며, 실제로 직면하는 문제들에 초점을 맞추고, 희망을 주는 자상한 치유자나 일대일 지도자(mentor)가 이끄는 환경을 찾고 있다. 이방인처럼 느끼면서도, 자신보다 더 큰 공동체에 속하기를 원한다. 그들이 바라는 예배는 기교를 많이 부리지 않으면서도 그들의 마음을 울리는(그들이 여유를 갖고, 깊은 관계들을 배울 수 있는) 예배다. 이런 예배의 설교는 해답을 제공하기보다는, 그들의 독특한 문제를 꺼내어 명료하게 해준다. X세대에 접근하는 일차적인 매체로는 그들 자신의 음악, 다양한 연출, 그들과 다른 사람들을 연결시키는 개인적 이야기들이 포함된다. 예수의 인성, 자비, 자신에 대한 성실함, 그의 친구에 관한 이야기 들은 이 세대에게 호소력 있다. 질문들을 명료화하고 가능한 해법들을 제공하는 오프라 윈프리(Oprah Winfrey)의 대화 방법이 X세대에 어울리는 방법이다. 이들 중 다수가 자신을 스스로 종교인으로, 심지어는 기독교인으로 묘사한다.

마지막으로 밀레니엄 세대, 폭풍의 세대, 혹은 Y세대로 불리며 떠오르는 세대가 있다. 이들 Y세대는 1976년 이후에 태어났으며, 베이비 부머 다음가는 숫자를 형성한다(미국 인구의 27%인 7,200만명). 그들의 1/3은 혼외 관계로 태어났으며, 어떤 평론가들은 앞으로 (부부가 모두 버는) 가진 자와 (엄마나 아빠 어느 한 쪽만 있든지, 한 사람만 버는) 못 가진 자 사이에 계급 전쟁이 일어날지도 모른다고 제안한다. 이 세대의 절반은 이미 혼합된 가정 속에 살든지, 부모 중 한 사람하고만 살아간다. 그들은 그런지 록(grunge rock), 랩, 컨트리 음악 등을 듣는다. 팀 속에서 일하도록 훈련받은 그들은 아직 개인의 역할에 대해서 분명히 알지 못한다.

Y세대에 관해서 아직 알려지지 않은 것이 많지만, 한 가지 분명한 것은 이전 세대에게 통했던 것들이 이들에게는 통하지 않는다는

점이다. Y세대는 우선 그들 정서의 내적인 세계가 아닌 과학, 수학, 경제, 정치 등 외적인 세계에 관심을 갖는다. 그들은 좀더 자신감 있어 보이며, 핵 파괴를 덜 염려하고, 독립 정당을 더 지지하고, 환경에 민감하고, 평등주의자며, 돈벌이에는 관심을 덜 갖는 것처럼 보인다. 그들은 에이즈, 공해, 거리 폭력, 테러리즘을 걱정한다. 또 이전 세대들과 마찬가지로, 정부, 건강 제도, 미디어, 그리고 교회를 신뢰하지 않는다. 인터넷(인터넷 텔레비전이 아님)에 빠진 그들은 철저히 독립적이다. Y세대의 종교관이 아직 유동적이긴 하지만, 교회는 하나님을 발견하는 많은 방법들 중 하나며, 그들의 삶에서 비중 있지 않다. 불행하게도 이 세대의 극소수만이 예배에 매력을 느끼는 것으로 나타난다. 어쩌면 군사 기지 등과 같이 X세대가 집중되어 있는 장소들이 이 세대와 이 세대의 뒤를 잇는 Y세대에게 최상의 예배 모델을 제공할지도 모른다. 필연적으로 이들 연령층에 속한 사람들에게 초점을 맞추는 군종 목사들이야말로 이들에게 접근할 수 있는 예배 도구를 갖는 사람들일 수 있다.

Y세대는 기독교인 가정에서 태어나고 자란 이들일지라도, 가장 소홀히 취급되는 구도자 그룹임에 분명하다. 기독교인은 태어나는 것이 아니라 만들어지는 것임을 기억하면서 각 교회는 자녀들과

그 자녀들의 믿지 않는 친구들이 기독교 신앙과 삶의 본질에 대해서 무엇을 배우는지 자신에게 물어야 한다. 교회 예배와 교육이 복음을 이어갈 세대를 만들어가는가? 성공회, 루터교, 최근에는 연합 감리교회가 모방하는 로마 가톨릭의 조직적인 예전과 교육 모델은 이 세대를 향한 하나의 반응이다. 구도자들에게 봉사하려는 모든 회중은 최소한 얼마간이라도 아이들과 청년들에게 초점을 맞추어야 한다.

간단하게 말해서, 개척자 세대, 부머 세대, X세대, Y세대 들은 북미 사회에 공존하는 근본적으로 다른 문화들이다. 서로의 배경, 세계관, 경험이 완전히 다르다. 그들의 차이를 묘사하는 마지막 방법은 각 세대의 젊은이들이 국가 간의 전쟁을 어떻게 접근했느냐 언급하는 일이다. 세계 2차 대전 동안, 개척자 세대의 젊은이들은 직장과 공동체와 부인과 아이들을 버리고 해외에 나가 싸우기를 자원했다. 국가와 이상을 수호하기 위해, 심지어 목숨까지 내놓으며 자신과 가정을 부정하는 이들의 가치에 대해 의문을 제기한 사람은 그리 많지 않았다. 베트남 전쟁 동안, 많은 베이비 부머는 징병을 거부하거나 빠져나가기 위해서 필요한 모든 일을 했다. 그들의 외침은 "우리는 절대로 갈 수 없어요"였다. 걸프전 동안, 전쟁터에 나가던 X세대 장병의 말이 다음과 같이 인용되었다. "나이 많은 세대들이 선포한 이 전쟁에서 왜 내가 싸워야 하는가? 내가 살아서 돌아오게 해달라." 마지막으로 Y세대는 국제적인 전쟁에 대해 공유되는 기억이 전혀 없다. 이렇게 세대간의 문화가 다른데도 대부분의 기성 교회들이 단일한 유형과 형식으로만 예배 드리는 것은 참으로 불행한 일이다.

예배에 미친 영향

새로운 세대, 특히 베이비 부머와 X세대는 북미 종교 세계에 극적인 영향을 미쳤다. 오늘날 미국에는 2,000종 이상의 종교가 있다. 개신교, 구교, 유대교 등으로 나눈 과거의 분류는 흘러간 노래가 되었다. 다른 종교 집단에 속한 사람들도 있지만, 일단은 미국 사회의 2/3가 교회에 나가지 않는 세속인이다. 기존 교회의 출석률이 매년 감소하는 반면에, 예배 참석자들의 선택을 받은 새로운 복음적인 교회들이 기존의 주류 교회 자리를 차지하고 나섰다. 그러나 모든 새로운 교회는 점차 전체 인구 비율의 작은 부분만을 대상으로 목회한다. 은사 중심 교회(Charismatic), 예수의 사람들(Jesus People), 초교파주의자

(nondenominationalist)가 공동체의 구성원들로부터 존경을 받지만, 다수의 보통 사람들이 해석할 수 없는 종교 언어를 너무 자주 말한다. 교단에 대한 충성은 없고, 교회에 가끔 들러서 선택 활동만 참여하는 경향이 지배적이다. 그러나 새로운 세대는 깊은 영적 갈증을 호소한다. 공동체와 방향성을 추구하면서 성장, 회복, 영적인 순례의 만남을 돕는 소그룹과 12단계 공동체들이 여기저기서 생겨난다.

기존의 신앙인들 중 다수가 이들 세속화된 세대들을 책망하고, 교회 생활에 충실하지 않다며 비판한다. 과거의 교회 구조에 충성하는 사람들은, 젊은 세대들이 회개하고 교회와 예배로 돌아오기를 갈망한다. 부모와 조부모들은 자녀들과 손자들이 성장해서 교회로 되돌아오기를 기다린다. 노년층의 사람들은 지금도 젊은 세대들이 라디오의 록 음악을 끄고 교향악단의 정기티켓을 사기를 기대한다. 새로운 세대들이 없는 자리에서 기성 세대들은 목소리를 높여 그들을 비난한다. 목회자 연례 모임에서 설교하던 한 감독이, 예배에 와서 어떻게 교회가 그들의 필요를 채워줄지를 묻는 젊은 세대들을 비판한 적이 있다. 그 감독은 "교회가 당신들을 위해 무엇을 해 줄 수 있느냐가 아니라, 당신들이 교회를 위해 무엇을 할 수 있느냐가 문제"라고 선포했고 기립 박수를 받았다. 교회 안의 신앙인들은 교회 밖의 구도자들을 자신들과 같지 않다고 비판하였다. 그러나 문제는 구도자들이 교회를 어떻게 보느냐가 아니라, 교회가 구도자들을 어떻게 보느냐일 것이다.

많은 기독교인들은 이 시대를 위대한 기회의 시대로 본다. 조지 헌터(George Hunter)는 세속화되고 근대 후기적인 오늘날의 세계에서 셀 수 없이 많은 사람들이 기독교 복음을 들을 준비가 되어 있다고 말한다. 기회의 창문이 열린 것이다. 그러나 이 이야기는 새로운 방법 안에서 진술되어야 한다.3) 아직은 구세대가 기존 교회의 재정과 결정권을 쥐고 있지만, 새로운 세대와 교회 모두에게 다행스러운 일은 많은 베이비 부머와 X세대, 그리고 Y세대 들이 교회에 처음으로, 혹은 한번 더 시도할 수 있는 기회를 준다는 것이다. 그러할 때, 예배는 일차 관문이 될 것이다.

예배는 새로운 세대에게 접근하는 열쇠다. 구도자들은 교회가 무엇인가 제공할 것이 있는지 알아보기 위해서 먼저 공동 예배를 찾아간다. 그러나 젊은 세대는 그곳에서 어릴 때 보고, 듣고, 경험했던 예배를 원하지 않을 뿐만 아니라, 자신들과의 연계점도 찾지 못한다. 그들은 예배의 부정적인 경험을 기억한다. 지루한 설교, 느릿느릿한 음악, 목회자의 독주, 스테인드 글래스로 만든 창문, 딱딱한 장의자, 인종 분리, 라틴어의 긴 성가, 정장 차림의 사람들, 장황하게 늘어놓는 기도, 냉랭한 분위기, 제도화된 교회의 자기 관심(항상 돈을 요구함), 자신들과 비슷한 또래가 없음, 교인들은 너무 불친절하고 불합리하게 보인다. 새로운 세대는 오히려 표현적이고, 서로 영향을 미치며, 다양한 가족 모델들에 대해 개방되고, 가치 형성을 도울 의지가 있으며, 정장 차림이 아닌 옷을 받아들일 수 있는 예배를 찾고 있다. 그들은 문화적·인종적으로 포용적인 교회들 - 그 안에서 여성들이 존중되고 모든 사람들이 자신들의 희망 수준에 따라 참여하는 교회들 - 을 환영한다.

  미국의 문화와 예배에 대한 다른 관찰이 예배에 미친 새로운 세대의 영향을 비슷한 방법으로 해석해 왔다. 예전적인 예배를 찬양 예배 인도자들에게 권하는 예배학자 로버트 웨버(Robert Webber)는 딱딱한 합리성이 신비에 의해서, 관찰이 경험에 의해서, 논리가 역설에 의해서, 초월이 내재에 의해서, 머리가 심장에 의해서, 정보(information)가 교육(formation)에 의해서, 침묵이 소리에 의해서, 개성이 공동체에 의해서, 그리고 고립이 접촉에 의해서 대체되는 예배를, 새로운 세대의 많은 사람들이 찾고 있다고 믿는다. '내가 과연 이 곳에서 하나님을 경험했는가?'라고 묻는 젊은 세대들은, 이전

세대들의 이성적이고, 논리적이고, 교훈적인 예배를 거부해 왔다.[4]

교회 사회학자인 웨이드 클라크 루프(Wade Clark Roof)도 비슷한 방법으로 예배에 대한 영향을 묘사해 왔다. 루프는, 친밀한 교제와 치유를 약속하는 양질의 서비스를 찾아 교회에 나가는 사람들의 주관적 경험에 대한 갈망을 본다. 서구 예전의 기초나 종교적 권위를 더 이상 신뢰하지 않는 이들 새로운 세대는 대형집단의 축제들과 소그룹 경험들을 갈망하는데, 이 경우 이 둘은 모두 개인적인 성장에 초점을 두거나 관심을 고양시키는 데 자발적인 성격을 보여주는 것이어야 한다.[5]

피닉스의 기쁨의 공동체(the Community of Joy)를 담임하는 비전통 계열의 루터교 목사 팀 라이트(Tim Wright)는, 현대인, 특히 부머들이 찾아가는 교회는 안전한 환경을 제공하고, 사람들의 필요에 초점을 맞추며, 교육 목회를 포함한 선택(choice)을 제공하고, 미래에 대한 비전을 증진하며, 뛰어난 메시지와 음악을 통해 예배를 드리는 교회라고 믿는다.[6]

미국에서 가장 탁월한 교회사학자인 마틴 마티(Martin Marty)는 오늘날 가장 살아있는 교회는 하나님을 찬양하고, 이방인을 환영하며, 공동체에서 실제로 필요한 것들을 찾고, 치유하는 교회라고 묘사한다.[7] 그러나 교회가 새로운 세대에게 봉사하지 않을 때, 그 교회와 새로운 세대의 미래는 막막할 수밖에 없다. 「기독교 예배와 기술적인 변화」(Christian Worship and Technological Change)에서 그레고르 고달스(Gregor Goethals)는 "제도적인 종교가 …… 영혼에 자극을 주고 인간의 모든 열정을 일깨우기 전까지는, 텔레비전이 영웅적 행위와 자기 초월에 대한 우리의 환상들을 키워갈 것이다"라고 선언한다.[8]

분명히 새로운 세대는 그들의 부모와 조부모들의 예배와 아주 다른 예배를 기대한다. 새로운 예배 풍경은 확실히 낯선 환경이다. 전에 없던 새로운 세계가 지금 등장한다. 철저히 다른 세대들이 서로 다른 모습으로 공존하고, 다른 언어를 말하면서 서로 이해하려는 시도를 하며, 참으로 다양한 기대를 가지고 함께 예배 드린다. 부모들과 아이들과 조부모들이 복잡한 세계에 함께 거주하며, 예배를 포함하여 교차된 영역에서 살아간다. 교회는 과거에 의해서 형성되어 왔고 또 계속 형성되어 가는 사람과 과거를 존중해야 하는 동시에, 현재와 미래를 존중하고, 새로운 세대와 그들의 필요와 기대를 채워야 한다. 항상 그래왔듯이, 교회는 단지 한 세대로 소멸하지 않는다. 만일 교회가 자녀들과 손자들, 그리고 교회에 나가지 않

예 배 를 확 바 꿔 라

는 그들의 친구들에게 신앙을 갖게 하려면, 예전적인 변화가 필요하다.

사도행전 2장을 보면, 오순절에 천하 각국에서 온 사람들이 각자 자신의 언어를 통해 복음을 들었다. 성령은, 그들 모두가 한 가지 언어로만 들어야 한다고 강요하지 않았다. 오히려 다른 문화에서 온 사람들이 자신의 언어로 직접 말씀을 들었다. 현재 교회 앞에 놓여 있는 과제는 우리 사회 안에 존재하는 다양한 문화에 그들의 언어를 사용하여 직접 말하는 것이다. 외국에서 봉사하는 선교사들은 복음을 선포하기 이전에 먼저 그 지역의 언어를 배우고 문화를 이해하려는 노력을 한다. 복음을 분명히 선포하고자 한다면, 예배를 계획하고 인도하는 사람들 역시 새로운 언어와 다른 문화(특히 세대간의 문화)를 배워야 한다.

교회들이 그들 자신의 예배 형식을 평가하고, 대안적 유형의 예배를 고려하며, 한 유형의 요소를 다른 유형에 첨가하고자 할 때, 근본적인 질문이 다시 제기된다. '예배의 목적이 무엇인가?'

4
은혜의 통로로서의 예배

· **웨슬리의 은혜의 통로** _ 예배는 복음의 능력을 통하여 사람들의 영
  적인 변화를 얻기 위해 존재한다.

· **웨슬리 반대자** _ 사람의 필요가 하나님을 예배하는 데 있어서 항
  상 부차적이어야 한다

· **함축적인 의미** _ 수세기에 걸친 예배 혁신은 항상 변화하는 문화에
  대한 응답이었다.

· **근본적인 질문** _ 유일하게 옳은 예배는 없지만, 예배를 드리는 데
  효율적이고 비효율적인 방법은 있다.

은혜의 통로로서의 예배

웨슬리의 은혜의 통로 · 웨슬리 반대자 · 함축적인 의미 · 근본적인 질문

1919년에 감리교 감독 교회(the Methodist Episcopal Church)의 한 위원회는 오하이오의 콜럼버스에 위치한 중앙 감리교 감독 교회 (Central Methodist Episcopal Church)에 걸려 있던 그림을 '미국에서 알려진 최고의 그림'이라고 선언하였다. "와이언도트 인디언 선교"라는 제목을 가진 그 그림은 감리교 감독 교회의 첫 번째 선교지인 오하이오의 산두스키 북부의 선교를 묘사한다.

이 그림 뒤에는 극적인 이야기가 숨어 있다. 자유로운 신분의 흑인이었던 존 스튜어트(John Stewart)는 술 취하고 방탕한 삶을 살았다. 1816년 어느 날, 자신의 무가치한 존재를 마감하려고 강으로 향하던 스튜어트는 한 감리교회의 예배에 매력을 느꼈다. 스튜어트는 찬양소리를 듣고 망설이던 끝에 교회 안으로 들어갔고 극적으로 회

개하였다. 회개에 이어 스튜어트는 예수 그리스도의 복음을 와이언 도트 인디언들에게 가서 전해야 한다는 강한 소명의식을 느꼈다. 1916년 11월, 그는 와이언도트 언어로 복음을 전하면서 와이언도트 선교를 시작하였다. 그의 이러한 행동은 1819년 뉴욕 감리교 감독 교회의 선교 본부 조직에 영향을 주었다. 1823년 스튜어트가 죽었 을 때, 백인 순회 전도자인 핀리(J. B. Finley)가 와이언도트들에 대한 원어 목회를 계속하였다.

그 그림은 이 이야기를 기념한다. 회색 돌로 만든 한 칸짜리 예 배당이 그림의 배경인데, 그 곳에는 남녀를 위한 문이 따로따로 있 다. 다양한 인종들이 앞마당에 모여 있다. 스튜어트는 소박한 평상 복을 입었고, 와이언도트와 마찬가지로 그의 긴 머리를 묶고 있다. 핀리는 순회 전도자의 검은 옷을 입었다. 원주민 옷차림을 한 40여 명의 와이언도트 성인 남녀와 아이들이 교회를 에워싸고 있다. 감 리교회 찬송가나 다른 예배 자료들은 전혀 보이지 않는다. 교회에 나가지 않는 원주민들에게 열정을 품고 있던 스튜어트는 복음을 전 하기 위해 그들의 언어를 사용했고, 그들과 똑같은 머리 모양을 하 고 있었다. 그의 노력은 감리교인들이 공식적인 선교 조직을 만드 는 데 기여했다.[1]

예 배 를 확 바 꿔 라

왜 예배를 드리는가? 왜 그것이 중요한가? 예배의 목적은 무엇인가? 이 질문들에 대한 대답은, 때와 장소에 상관없이 예배를 주제로 한 논의에 있어서 가장 근본적인 것들이다. 교회가 생긴 이래로 계속되어 온 예배의 본질과 목적에 대한 논쟁은 지금도 여전히 식을 줄 모른다. 오히려 이 질문들에 대한 더욱 비판적이고 다양한 신학적 답변들이 예배 유형을 결정하는 데 중대한 영향을 미치고 있다. 이제는 하나님 이야기(신학)와 연계하여, 각 회중들이 드리는 예배 속에 내재되어 있는 신학적 입장을 이해할 차례다.

웨슬리 신학의 전통에서 예배는 은혜의 한 통로다. 사람들이 복음을 듣고 응답할 수 있는 방법 중에서 예배는 하나님의 실재와 현존을 표현하는 은혜의 통로다. 웨슬리안들에게는 특정한 예배의 예문이 올바른지, 역사적으로 정확한지, 혹은 지침들이 적절한지 등이 문제가 아니고, 예배가 과연 하나님의 위대한 구원 이야기를 특정한 사람들에게 효과적으로 전달하는지가 문제다. 하나님과 예배에 참석한 각 사람들 사이에 새로운 관계가 이루어지게 하는 것이 모든 예배의 목적인 것이다. 웨슬리 전통에 충실했던 존 스튜어트는 존 웨슬리(John Wesley)의 1784년도 「북미 감리교인들의 주일 예배」(Sunday Service of the Methodists in North America)나 스튜어트 당시의 「감리교 장정」(Disciplines)에서 발견되는 예전들이 아닌, 전혀 새로운 사람들에게 독특하게 적용되는 예배를 통해서 와이언도트들과 복음을 나누었다.[2] 우리도 이와 같은 도전에 직면하고 있다.

웨슬리의 은혜의 통로

존 웨슬리는 그의 기념비적인 설교 "은혜의 통로"(The Means of Grace)에서, 하나님께서 모든 사람들에게 필요한 선행(prevenient)과 칭의(justifying)와 성화(sanctifying)의 은혜를 전달하는 성경적이고 일반적인 채널들을 묘사한다.[3] 웨슬리에 따르면, 사람들은 하나님의 말씀, 세례와 성만찬의 성례전, 공동 기도, 기독교 공동체와 같은 공동의 은혜의 통로들을 통해서 하나님의 은혜를 받는다.

웨슬리는 몇 가지 형태의 은혜를 특별히 언급한다. 선행 은총(prevenient grace, 예방 약품처럼 미리 오는 은혜)은 하나님의 현존을 긍정한다. 이 현존은 사람들에게 죄를 깨닫게 하고, 하나님의 선행적 부르심에 응답하게 한다. 칭의의 은혜(justifying grace)는 사람들을 전능하신 하나님의 딸과 아들로 삼으면서 긍정적인 관계를 다시 맺는다. 성화의 은혜(sanctifying grace)는 사람들을 완전한 관계, 즉 하나님과

예 배 를 확 바 꿔 라

완전한 조화를 이루며 사는 삶으로 인도한다. 웨슬리가 선언했듯이, "우리가 내적인 은혜를 받는 유일한 성경적인 방법은 하나님께서 지정하신 외적인 통로(예배 행위)를 통하는 것이다."4)

읽고 선포하고 응답하는 하나님의 말씀과, 올바르게 시행되고 받아들이는 세례와 성만찬의 성례전과, 부르짖고 들려지는 공동 기도와, 공동체의 친교를 위한 모임을 통하여 하나님은 구원을 베풀며, 사람들을 충실한 제자의 길로 부르신다. 웨슬리는 하나님께서 이들 공동의 예배 경험이 아닌 특수한 방법 속에서도 은혜를 주실 수 있음을 인정한 반면, 그 자신은 그러한 은혜의 행위를 한 번도 목격한 적이 없다고 선언했다. 하나님께서는 아마도 산꼭대기에 홀로 앉아 있거나 바닷가를 따라 걷는 사람들을 제자로 만들 수도 있겠지만, 그런 행위들은 아무래도 규범적이라고 볼 수 없을 뿐 아니라, 잘못하면 하나님의 구원 방법에 대한 성경적인 설명을 무시하게 만든다. 웨슬리는 개인적 신앙에 대한 개신교의 지나친 강조와 성례적인 유효성에 대한 가톨릭의 지나친 강조를 경계하며, 예배 안에서 하나님의 활동과 인간의 응답을 강조했다. 웨슬리는, 교회가 늘 해오던 형식들을 통하여 하나님이 주시는 은혜의 선물과 개인적 신앙이 연합하는 예배야말로 하나님께서 구원을 베푸시는 일

4 . 은 혜 의 통 로 로 서 의 예 배

차적인 통로라고 자신 있게 말한다. 예배는 하나님에 의해서 주도되며 사람들의 삶을 변화시킨다. 아드리안 버든(Adrian Burdon)은 "웨슬리의 주장대로, 예배의 목적은 사람들에게 그들이 예배하는 하나님을 닮아가게 하는 것이다"라고 말한다.5)

웨슬리의 예전적 접근에서 복음과 인간의 경험은 서로 긴장관계를 유지한다. 웨슬리는 기존의 정통적이고 고전적인 기독교의 본질에 충실하면서도, 그가 가르치고 설교하던 사람들의 상황에 놀랄만큼 민감하다. 웨슬리의 질문들은 사람들이 무엇을 들어야 하며, 어떻게 들을 수 있을까 하는 것이다. 첫 번째 질문에 대한 대답을 하면서 웨슬리는 전통 신학, 특히 인간의 구원에 관한 그의 관심으로 돌아간다. 두 번째 질문에 대답하면서 웨슬리는 사람들이 살아가는 지적·사회적·도덕적 정신에 대한 그의 뛰어난 인식을 보여준다. 웨슬리의 놀라운 성공은 위의 두 질문에 대해 민감하게 대처해서 이뤄 놓은 통전성에 기인한다.

예배의 실천적 용도는 웨슬리의 독특한 신학 방법과 유사하다. 웨슬리에게 있어서 신학은 삶을 이해하거나 추상적으로 하나님을 규정하는 데 머물지 않는다. 신학은 삶을 변화시키는 것을 목적으로 한다. 신학의 목적은 설교와 복음적인 예배를 뒷받침해 주는 것이다. 웨슬리의 신학은 "실천 신학(practical divinity)"으로 정확하게 묘사되어 왔다.6) 이 실천 신학은, 하나님의 은혜에 대한 메시지가 은혜 넘치는 그리스도인의 삶을 구축하는 데 목적을 두고 있음을 분명히 하며, 복음과 삶을 하나되게 만든다.

웨슬리의 신학적 접근은 예배에 있어 의미심장한 함축성을 갖는다. 예를 들어 설교에서는 설교자와 청중 사이에, 본질적인 메시지와 인간의 실존적인 현실 사이에, 말하는 것과 들리는 것 사이에, 삶을 변화시키는 복음과 복음에 의해서 활력을 얻는 삶 사이에, 결코 분리될 수 없는 양극의 역동성이 존재한다. 선포되고 받아들인 말씀은 너무나 단단하게 얽혀 있어서, 분리될 경우 반드시 서로에게 손상을 입히게 되어 있다. 설교는 반응을 불러일으키는 것을 목표로 한다. 복음은 삶을 변화시키기 위해서 선포된다. 선포되는 메시지가 기초를 이루면서도, 메시지가 선포되는 상황 역시 적절한 감성과 빈틈없는 해석으로 똑같이 이해되어야 한다.

웨슬리의 신학적 방법과 그 결과에 기인한 예배의 비전은 18세기 웨슬리 부흥 운동에 대해 심오하고도 함축적인 의미를 갖는다. 계몽주의와 산업혁명에 의해 형성된 문화 속에서 같은 시대를 살아가던 사람들이 이해할 수 있으며, 그들 자신의 구원을 위하여 응답할 수 있는 방법 안에서 하나님의 은혜를 선포하고자 했던 그의 열정 때문에, 웨슬리는 예전적인 혁명을 일으키기 시작하였다. 순회 전도자였던 그는 특정한 청중과 상황에 알맞게 성서일과 외의 본문을 사용하였다. 그는 한함산(Hanham Mount, 산 이름 : 역자 주) 야외에서, 석탄광산들의 갱도 앞에서, 그리고 버려진 무기 공장에서도 설교하였다. 웨슬리는 야외에서 성만찬을 집행하였고, 즉흥적인 기도를 권장하였다. 독일 모라비안들의 의식을 응용한, 거룩한 나눔의 시간인 애찬식은 웨슬리안들이 좋아하는 의식이 되었다. 찰스 웨슬리(Charles Wesley)는 운율적인 시편이 아닌 종교적인 시를 사용하여 찬송 시를 지었고, 이미 애창되던 곡들에 그 시들을 붙였다. "나 같은 죄인 살리신"을 "길리간의 섬" 곡조에 붙여 부르는 식인데 이는 기존의 회중이나 찰스 웨슬리가 속했던 종교 문화 모든 부분에서 거슬리는 방법이었다. 웨슬리 형제는 교회에서 여성들이 노래하는 것과 평신도들이 설교하는 것을 권장했다. 북미에서의 감리교 순회 전도자들은 기존의 교인들에게 파송된 것이 아니라, 북미 상황에 적절한 예전들을 가지고, 선교를 수행하기 위해 여러 지역으로 광범위하게 파송되었다. 간단히 말해서, 예배는 복음의 능력을 통하여 사람들의 영적인 변화를 얻기 위해 존재한다는 웨슬리안들의 관

예 배 를 확 바 꿔 라

점 때문에 웨슬리 형제와 후계자들은 기존의 예배 전통에 많은 변화를 주었다.[7]

웨슬리 반대자

그러나 웨슬리안들의 예배에 대한 관점을 반대하는 사람들도 있었다. 예배를 특정한 문화나 공동체에 적응시키는 것을 반대하고 비판하는 사람들은, 그런 적응은 예배의 일차적인 청중이 하나님이라는 사실을 무시한다고 주장한다. 어떤 사람들은, 하나님을 경외하는 것과 인간의 필요를 인식하는 것 사이의 팽팽한 긴장을 유지하는 예배라든지, 혹은 설상가상으로 사람들과 그들의 필요에서 출발하는 예배는, 근본적으로 하나님 경외라는 예배의 중심적인 초점을 부인하는 것이라고 믿는다. 이런 신학적 입장은, 하나님은 예배의 청중이고 회중의 구성원들은 무대의 연기자들이라고 선언한, 19세기의 덴마크 신학자 쇠렌 키에르케고르(Søren Kierkegaard)에 의해서 가장 잘 묘사된다. 오늘날 많은 신학자들과 전문적인 예배 연구가들은, 사람의 필요가 하나님을 예배하는 데 있어서 항상 부차적인 것이 되어야 한다는 이유로, 예배에 대한 어떤 응용도 거부하고 있다.

웨슬리를 비판하는 고전적인 입장은 존 칼빈(John Calvin)을 따르는 개혁교회 전통에 뿌리를 둔다. 1619년의 도르트 회의(the Council of Dort)로 표명되었듯이 개혁 교회의 신학자들에게 예배는 일차적으로 하나님께 영광을 돌리는 것이 목적이다. 영국 국교의 대다수 신학적 입장도 이들과 유사하다. '웨스트민스터 교리 문답', '영국 국교의 신학적 질의와 응답 모음' 등은 다음과 같은 질의와 응답으로 이 전통을 반영한다. "인간의 제일 목적은 무엇인가? 인간의 제일 목적은 하나님께 영광을 돌리는 것이고, 하나님을 영원토록 기쁘시게 하는 것이다." 개혁 신학은 하나님께 찬양과 영광을 돌리는 것을 강조한다. 예배는 근본적으로 하나님을 향해 있고, 공동체도 근본적으로 하나님께 영광을 돌리기 위해서 함께 모인다. 이 신학 전통은 오늘날 핵심적인 부분에서, 로마 가톨릭교인들, 전통적 침례교인들, 장로교인들, 루터교인들과 더불어, 대다수 전문적인 예배 연구가들과 많은 감리교인들과 공유된다. 하나님 중심의 이 신학적 관점은 왜 예배가 사람들에게 맞춰서 변화되어서는 안되는가를 설명하는 가장 중요한 논리적 근거다. 예배의 초점은 사람들이 복음을 듣고 변화하는 것이 아니라 하나님 한 분이 되어야한다.

존 칼빈에 대한 분명한 대안은 1610년 「충언」(Remonstrance)을 발표한 네덜란드의 신학자 야코부스 아르미니우스(Jacobus Arminius)와 그의 정신적 후계자 중 한 사람인 존 웨슬리였다. 아르미니안 신학 전통에서 하나님께서는, 선행 은총, 즉 모든 사람에게 미리부터 주셔서 그들의 응답의 기초가 되게 하신 은혜를 통해 모든 인간의 삶 속에 개입해 오셨다. 하나님께서는 본래부터 죄인인 사람들을 홀로 두지 않으시고, 모든 사람에게 구원의 가능성이 잠재되어 있는 종말을 향하여 그들과 함께 항상 일하고 계신다. 은혜로 인해 인간은 하나님의 사랑을 선택할 수도, 거부할 수도 있는 자유의지와 함께 응답-가능성(response-ability = 책임 : 역자 주)의 선물도 받았다. 구원은 하나님의 주도(God's initiative)와 인간의 응답(human response) 사이의 상호 작용이다.

아르미니안 예배의 목적은 하나님을 찬양하고 기쁘시게 하는 데 머물지 않는다. 아르미니안 예배는 그 비전을 확장하여 인간의 응답을 위해 그리스도를 제공함을 또 다른 목적으로 한다. 하나님의 섭리(action)에 대한 감사를 고백하며, 사람들은 그에 응답하도록 권면한다. 아르미니안들이 이해하는 '영광'은 하나님의 빛이 예배하는 자들을 통하여 보이게 허용하는 것을 의미한다. 하나님께 드리는 예배 안에서 은혜의 받아들임, 하나님께 표현되는 감사, 우리의 헌신적인 예배 참여 등의 강조점이 한데 만난다. 이 관점은 설교와 밀접한 관계가 있다. 예배에서의 설교는 예수 그리스도 안에 나타난 하나님의 은혜를 증거하고, 응답을 불러일으키며, 사람들이 자신의 구원을 위해 힘쓰도록 장려해야 한다. 찬양이나 기도, 성례전과 같은 예배 체험들도 삶을 변화시키는 계기가 된다.[8]

함축적인 의미

오늘날 기독교인들에게는 변화하는 문화 속에서 전달되고 수용되는 복음의 영속적인 메시지에 대해, 통전적인 상호작용의 역할을 찾아내야 한다는 도전이 주어져 있다. 기독교 복음을 의미 있게 전달하기 위해서는, 복음이 현재 삶의 실제 상황에 놓여야 한다. 메시지와 매개 상황들(media)은 하나님과 사람들 사이의 살아있는 관계를 형성하는 데 적합해야 한다. 활력(vitality)과 통전성(integrity)은 결합될 수 있다. 상황이 변하는 만큼 적합성(relevancy)도 변한다. 모든 새로운 세대에게는 새로운 목소리가 필요하며, 하나님 이야기를 새롭게 들을 필요가 있다. 사람들이 듣고 응답할 수 있게 하기 위해서는 메시지가 적합하고 분명해야 한다. 하나님의 은혜를 분명하게 기억하면서도, 변화하는 문화적 상황에 민감한 현대 언어로 복음을 전달해야 한다는 것이 예배에 대한 도전이다.

고린도전서 9장에서 바울은 이 균형 유지를 돕는다. 그 자신의 유대 문화와 근본적으로 다른 이방 문화에 복음을 전하면서, 바울은 복음과 문화가 역동적 상관 관계에 있음을 주장한다. 문화는 복음을 전하는 매개물이지, 복음 자체는 아니다. 적응이 필요하지만 동일시될 수는 없다. 복음과 문화 사이의 경계선은 명확하지 않아서 매우 위험하다. 그러나 복음을 적절하고 효과적으로 전달하기 위해서는 모든 것을 모든 사람의 상황에 대입하는 것이 필요하다. 바울은 베드로가 전한 복음과 동일한 복음을 전하였으나, 새로운 방법을 사용해야만 했다.

복음을 전달하는 새로운 방법들은 늘 교회를 풍성하게 만들었다. 수세기에 걸친 예배 혁신은 항상 변화하는 문화에 대한 응답이었다. 어느 시대고 간에 효과적인 예배가 보여주는 것은 하나님과 변화하는 인간의 상황에 대한 민감함이 새로운 활력을 불러온다는 사실이다. 모든 시대에서 가장 건강한 교회는 각각의 특정한 문화나 새로운 세대가 이해할 수 있게 복음을 표현할 필요가 있음을 깨

달았고, 새로운 형태의 예배들은 항상 교회의 위대한 부흥(revival) 안에서 나타났다. 특정한 문화적 상황에 진정한 복음을 전하기 위해 예배를 발전시켜온 것이 기독교의 전통이다! 예배는 살아계신 하나님과 살아있는 사람들을 섬기는 것이다.

반대 의견이 있는 줄은 알지만, 성경은 결코 한 가지 방법의 예배만을 지정한 적이 없다. 하나님께서 인간의 육신을 입으신 성육신의 사건은 특정한 문화적 상황 속의 인류에 대한 하나님의 긍정을 나타낸다. 말씀이 육신이 되신 예수는 회당과 성전의 안과 밖에서 설교하였고, 호수와 산중틱과 집과 거리에서 복음을 전하였다. 베드로는 교회에 이방인들을 초대하였고, 빌립은 수레에서 에티오피아 내시에게 복음을 전하였다. (사도행전 15장에서 발견되는) 1차 예루살렘 회의에서 베드로와 야고보와 바울은, 이방인들이 유대인이 되는 과정 없이도 기독교인이 될 수 있다고 결정하였다. 아테네의 아레오바고에서 바울은 아테네 사람들이 이미 경배하던 알려지지 않은 신에 대해서 그리스어로 설교하였다.

예배의 규범적인 단일 모델은 교회사에서도 발견되지 않는다. 4세기에 어거스틴(Augsustine)은 당시에 가장 뛰어난 웅변과 변론을 하면서 카르타고의 성당 앞 계단에서 자주 설교하였다. 설교가 끝나면 그는 성례전을 위해 사람들을 교회 안으로 들어오라고 초대하였다. "교회의 문을 열면서"라는 교회의 복음적 과업을 묘사하는 전형적인 문구는, 카르타고 포럼을 보고 있던 믿지 않는 구도자들에게 성전의 바깥문을 실제로 열었던 어거스틴에서 기인한 것인지도 모른다. 서방 교회의 성서일과(lectionary)는 새롭게 기독교화된 로마 세계에 복음을 증거하기 위한 조직적인 방법으로서 4세기에 개발되었다. 많은 로마 사람들이 로마 황제 콘스탄틴(Constantine) 아래에서 기독교인이 되었을 때, 성서일과는 성경 전체의 이야기를 계속 살아있게 만들었다. 훈련되지 않은 미사들을 위해서 예수의 이야기는 매년 완전하게 반복되었다. 중세 후기에 교회 밖에서는 촌극을 통해 복음을 증거했던 반면, 유럽의 대성당들의 스테인드 글래스 창문들은 라틴 본문들을 읽거나 이해하지 못하던 사람들에게 예수 이야기를 그림으로 보여주었다.

예배의 재형성 과정은 계속되었다. 마틴 루터(Martin Luther)는 칠성례(seven sacraments)를 반대하고 독일 미사(Deutsche Messe : 성찬 예배)를 썼으며, 찬송가들을 지었고, 성경 전체를 독일어로 번역해서 사람들이 복음을 이해할 수 있게 하였다.[9] 개신교 종교개혁의 결정적인 성명서들 가운데 하나인 1580년의 루터란 협화 신조(Lutheran

Formula of Concord)는 "우리는 더 나아가 모든 장소와 모든 시간 속에서 하나님의 공동체(community of God)가 각각의 환경에 따라 예식들을 바꾸거나 축소하거나 확대할 권리와 권위와 힘을 소유함을 믿고 가르치고 고백한다"라고 선언하였다.10) 마찬가지로 1784년 존 웨슬리가 수정한 영국 국교의 종교 신조들(Anglican Articles of Religion)은 "교회 안에서 사람들이 이해할 수 없는 언어로 공중 기도를 하거나, 성례전을 집행하는 것은 하나님의 말씀과 초대 교회의 관습에 분명히 모순되는 것이다"라고 선언하였다.11) 존 웨슬리는 옥외에서 설교하고 성례전을 집행함으로써, "더욱 낮아지는 데 동의하였다"(웨슬리의 말을 인용). 영국의 감리교도들은 민중들을 위해서 교회가 아닌 채플을 세웠다. 찰스 웨슬리는 대중 문화에서 곡을 수집하여, 17세기의 영국 국교가 받아들일 수 없는 찬송가들을 만들었다. 웨슬리안 전통의 사람이며 구세군의 창시자인 윌리엄 부스 사령관(General William Booth)은 "좋은 곡들은 왜 사탄이 다 가져야 하느냐?"라고 반문하며, 가난한 사람들을 위해 음악대를 거리에 배치시켰다. 미국 개척자들의 천막 부흥 집회(camp meeting)는 새롭게 형성된 문화에 독특하게 적용되는 새로운 공간과 전통을 만들었다. 보편 구제론을 믿는 교회(the church universal)의 전통은 회중이 기존의 예배 형태를

예 배 를 확 바 꿔 라

재구성하여 새로운 형식 만들기를 요청한다.

텍스트(text)와 컨텍스트(context), 복음과 상황 사이의 예전적 균형은 오랫동안 지속되어온 기독교의 신학적 입장이며, 우리의 역사를 구성한다. 그렇다면 그들이 지니는 현대 예배를 위한 함축적 의미는 무엇인가? 오늘날 근본적으로 달라진 상황과 변화하는 세대들이, 새로운 방법으로 복음을 다시 이야기해줄 것을 요구한다. 사실 이것은 어제오늘의 일만이 아니다. 수잔 화이트(Susan White)가 기록했듯이, "신앙의 위대한 시대와 기독교 예배의 갱신은 가장 불안정한 모습으로 나타났다. …… 갱신은 사람들이 '과거의 죽은 손과 죽은 마음에서 벗어나서, 창조적으로 보고 생각할 수 있을 때' 일어난다."12)

지금은 예배를 드리는 교회가 우선 하나님께서 그리스도 안에 오셨다는 영원한 진리의 복음을 가지고, 새로운 문화 속에 살고 있는 새로운 세대의 사람들을 만남으로써, 그리스도를 구체적으로 표현해야 한다. 예수는 제자들에게 그가 그들을 섬겼듯이 그들도 서로 섬길 것을 요청했다. 너무나 많은 교회 안에서 예배는, 함께 따라 걷도록 초청되는 통로가 아니라, 앞뒤에 멀찌감치 떨어져 서 있어야 하는 제단이 되었다. 사람들의 상황에 적합한 유형과 형식을 통해서 사람들과 그들의 필요를 복음으로 섬기고, 사람들에게 은혜의 통로를 제공하는 것이 가장 중요하다. 변하지 않는 단일 형태를 독단적으로 결정하는 것은 의사소통 기술의 상실을 초래한다. 변화된 (그리고 변화되는) 사람들로서 하나님께 예배드리는 것이 우리가 추구하는 목표다.

근본적인 질문

이 모든 신학적 이야기들의 목적은 질문을 불러일으키는 것이다. 대개 질문은 대답보다 더 중요하다. 이 신학적 토의는 몇 가지 근본적인 질문을 제기하며, 회중은 올바르게 질문함으로써 출발해야 한다.

첫 번째 질문은 '우리는 어떤 하나님을 선포하는가?' 다. 이 질문을 다른 식으로 하자면, '하나님의 은혜가 무엇인가? 이 은혜는 어떻게 표현되는가? 교회가 제시해야 하는 것은 무엇인가?' 등을 포함한다. 이 질문은 신학적 통전성의 문제를 제기하며 그 대답은 분명하다. 교회는 예수 그리스도의 사역과 삶 속에서 구체화된 하나님과 하나님의 은혜를 제시해야 한다. 하나님의 은혜는, 자기를 내어놓으며(self-giving) 우주 만물에 오셔서(comes) 다른 사람들을 위해 살고(lives) 죽는(dies) 예수 그리스도다. 이 복음이 바로 메시지가 되어야 한다.

다음 질문은 '어떻게 이 영원한 메시지를 특정한 공동체에 응답을 이끌어내며 제시할 수 있을까?'가 되어야 한다. 이 질문을 다른 식으로 하면, '어떤 사람들에게 변화의 메시지가 필요한가? 교회는 누구에게 복음을 증거할 수 있는가? 교회가 제시하는 것을 누가 들을 것인가? 예배가 삶을 변화시킬 것인가? 특정한 회중에게 가장 효과적인 예배는 무엇인가? 어떤 형식의 예배가 예수 그리스도 안에 계시된 하나님과 현재의 특정한 장소와 시간 속에 살고 있는 하나님의 사람들 사이의 새로운 관계에 영향을 주는가?' 등을 포함한다. 이 질문들은 생명력의 문제로 관심을 유도한다. 질문에 대한 대답은 각 회중과 신앙 공동체에 따라서 근본적으로 다를 것이다. 이 모든 질문은 유일하게 옳은 예배는 없지만, 예배를 드리는 데 효율적이고 비효율적인 방법은 있다는 것을 전제한다. 효율적인 예배는 변화의 은혜(transforming grace)를 전달하지만 비효율적인 예배는 아무것도 이뤄내지 못한다.

불행하게도 자신들의 예배를 평가하는 예배 인도자들 가운데 너무나 많은 사람들이 다른 질문들을 먼저 한다. 그런 잘못된 질문들은, '어떤 예배 형식이 최고인가? 어떤 유형의 예배가 가장 기독교적인가? 어떤 새로운 것을 우리 예배에서 시도할 것인가 말 것인가?' 등을 포함한다. 이 질문들은 단일의 올바른 예배 형태가 존재한다거나, 하나님께서 한 유형을 다른 유형보다 선호하신다거나, 어떤 한 가지 예배 행위를 반드시 포함하거나 제거해야 기독교적이라는 등의 생각을 은연중에 나타낸다. 복음의 특정한 제시가 특정한 청중들에게 적합한지와 같은 기본적인 문제는 너무나 자주 누락된다.

웨슬리안의 예배 신학은 근본적으로 새로운 형태의 예배에 대한 개방성을 요구한다. 웨슬리안 예배는 하나님의 은혜로 남녀노소를 불문하고 모든 사람들의 변화를 불러일으킨다. 예배의 목적은 하나님과 각 사람과 모여 있는 전체 공동체 사이에 새로운 관계를 형성하는 것이다. 정확한 종교 의식이나 교묘한 감정의 조작이 예배의 목적이 아니다. 복음이 무엇인지, 또 하나님의 말씀을 나누라는 의미가 무엇인지 이해하고, 누구를 섬길 것인가를 분명히 하는 것은 예배의 유형과 형식의 결정이 회중과 그 회중의 예배 인도자에게 달려 있음을 의미한다. 그 목적은 효과적인 예배와 연결된 통전성과 생명력이다. 효과적인 예배 형식들은 새로운 사람들이 하나님의 구원의 은혜를 만나는 곳이라면 어디서든지 발견된다. 예수 그리스도의 은혜를 통해 사람들이 변화되는 순간 하나님은 진정한 영광을 받으신다.

5

풍성한 예배 : 예배의 우선순위

- **풍성한 예배를 위한 전략** _ 의도가 좋아도 실패하는 이유는 분명한 방향이나 목적 없이 너무 빨리 변화를 시도하기 때문이다.

- **예배 팀을 구성하라** _ 예배를 갱신할 때 회중이 동의해야 하지만 제안·지침·규정 등의 궁극적인 책임은 예배 팀의 몫이다.

- **질문하라** _ 우리는 하나님의 은혜에 열려 있는가? 우리는 복음을 다른 사람들과 기꺼이 나누겠는가?

- **비전을 세우라** _ 그리스도를 소개하고 성서적 성화를 전파하며 땅을 경작하는 복음적 과업이 예배를 형성해야 한다.

- **청중이 누구인지 분명히 하라** _ 사람들이 매일 어떤 문제를 직면하는가, 경청함으로써 하나님의 은혜를 선포해야 할 현장을 마련할 수 있다.

풍성한 예배 : 예배의 우선순위

풍성한 예배를 위한 전략·예배 팀을 구성하라·질문
하라·비전을 세우라·청중이 누구인지 분명히 하라

예배 위원회가 교회 도서관에 모인다. 탁자 주위에 목사, 비전
임 음악 지도자, 자원 봉사 반주자, 성찬 준비 위원장, 새로운 청장
년 교인, 성가대에서 오랫동안 봉사해온 성가대원, 휴가철에 집에
온 대학생 등이 앉는다. 공식적인 의제는 사순절과 부활절 예배 계
획이지만, 표면에 드러나지 않은 의제들이 더욱 중요하다(예배 참석자
들의 감소에 따른 염려, 자료의 부족으로 인한 고민, 새로운 음악에 대한 관심, 오래된 오
르간을 얼마나 더 사용할 수 있을지에 대한 걱정, 성구들을 옮긴 데 대한 부담, 새로운 사
람들을 초대하겠다는 희망, 기존의 교인들이 소외될지 모른다는 두려움, 전체 예배가 부
적절하다는 인상 등). 재의 수요일(Ash Wednesday) 예배에 관해 잠깐 대화
하고 다시 다음의 질문들이 제기된다. '사람들의 열심과 관심을 불
러일으키기 위해서 우리는 무엇을 할 수 있는가? 왜 우리는 옛날 찬

송만 불러야 하는가? 누가 성찬대를 옮겼나? 누가 새로운 노래를 부르기를 원하는가? 왜 우리는 방문자들이 다시 오도록 못하는가? 왜 우리는 급진적인 어떤 것을 시도하지 않는가?' 회의가 끝날 무렵 모든 사람은 긴장되어 있고, 진전된 것은 하나도 없다.

예배 인도자와 회중은 예배의 새로운 표현을 통해 새로운 세대와 청중들에게 응답해야 한다. 사려깊게 응답하는 예전은 우리 기독교의 전통이다. 모든 세대를 대상으로 하는 단일한 형태의 예배란 존재하지 않는다. 베이비 부머를 중심으로 예배하는 방법은 부머 세대에는 잘 어울리겠지만, 새로운 세대가 등장하거나 새로운 청중들이 인지될 경우 그 형식을 다시 변경할 필요가 있다. "한 세대의 풍조와 결혼한 사람들은 다음 세대에 미망인이 될 것이다"라는 옛말 그대로다. 개척자 세대에 통하던 예배가 부머들에게는 통하지 않고, 부머들에게 통하던 예배가 X세대와 Y세대들에게는 통하지 않을 것이다. 복음은, 모든 새로운 세대들의 마음을 끄는, 새로운 문화적 감성을 요구한다.

예배 갱신에 대한 저항은 퇴보를 확실하게 보장해 준다. 아무 것도 하지 않는 것은, 한 가지 고정된 형식으로만 예배하는 교회가 점점 더 소수의 집단들만을 섬기게 될 것을 보장해준다. 1950년대

이래로, 감리교회(그 후 연합감리교회)가 개척자 세대를 대상으로 예전적 예배를 우선적으로 사용해오는 동안에, 북미 전체 인구의 6%를 차지하던 교인 수가 3%로 감소했다. 다른 모든 주류 교단들의 감소율도 이와 비슷하게 추락했다. 전반적으로 어떤 예배든지 정기적으로 참석하는 교인들의 비율이 끊임없이 하락하고 있다. 새로운 세대를 위한 예배가 이 추세를 역전시킬 수 있을까?

예수 그리스도의 복음을 나눈다는 의미의 복음주의는 교회가 다양한 유형과 형식의 예배를 통해서 복음을 제공할 것을 요청한다. 새로운 사람들과 복음을 나누려는 열정은 예배에 대한 새로운 접근을 요구한다. 교회의 사명은 어떤 한 가지 형태의 예배를 고수하는 것이 아니라, 새로운 세대에게 예수 그리스도의 변혁적 은혜(transforming grace)를 전달하는 것이다.

풍성한 예배를 위한 전략

기존의 많은 회중은 지금, 교회를 다니지 않는 사람들, 구도자들, 전에 교회에 나갔으나 지금은 나가지 않는 사람들, 혹은 부머들이나 X세대, Y세대들과 같은 다른 청중들에게 접근하기 위하여, 예배를 변화시키고, 보완하고, 풍성하게 만들 것을 고려하고 있다. 그런데 인도자들과 회중이 너무 성급하게 변화를 꾀하는 경우가 비일비재하다. 만일 복음성가나 드라마, 혹은 다른 변화를 예배에 첨가하면 새로운 누군가가 예배에 참석할 것이라는 생각에서다. 그러나 그런 목적은 거의 이루어지지 않는다. 의도가 좋아도 실패하는 이유는 분명한 방향이나 목적 없이 너무 빨리 변화를 시도하기 때문이다. 인도자들은 예배가 어디로 가야 하고, 왜 그래야 하는지에 대해 분명치 않다. 그런 예배 갱신의 여정은, 지도나 분명한 목적지 없이 여행하는 것과 같다.

예배 팀을 구성하라

예배의 계획, 인도, 평가는 예배 팀(목사, 음악 지도자, 개 교회 예배에 직접적으로 책임이 있는 다른 평신도나 전문가)의 일이 되어야 한다. 예배를 갱신할 때 전체 회중이 동의하고 함께 참여해야 하지만 제안·지침·규정 등의 궁극적인 책임은 예배 팀의 몫이다. 함께 일할 줄 아는 지도자가 없다면 예배는 제한된 영향력을 가질 것이다. 현대 예배는 그 어느 때보다도 더 지도자들의 기량과 경험을 요구한다. 공식적인 예배서나 찬송가를 어떻게 읽는지를 아는 것만으로는 부족하다. 필요한 모든 기량을 갖춘 사람은 아무도 없다. 외로운 늑대들은 살아 남지 못할 것이다. 좋은 예배는 공동의 비전과 에너지와 상호 보완을 요구한다.

목사는 동등한 예배 팀원들 중에서 가장 중요한 사람이다. 목사는 대개 예배에 관해 더 많은 훈련을 받고, 전체 예배의 행정적인 책임을 진다. 이들 안수 받은 지도자들은 예배의 평가를 주도하고 예배 팀의 중심이 되어야 한다. 만일 목사가 예배 갱신을 위해 일할 의지가 있다면 그 과정은 성공할 것이고, 만일 목사가 주요 방향을 제공할 의지가 없거나 능력이 없을 때 그 과정은 실패할 것이다.

목회자가 해야 할 첫 단계는 예배 팀을 위해 봉사할 최고의 가용인력을 발굴하는 것이다. 각 사람들은 예배의 질을 향상시킬 수 있는 특정한 기술을 가지고 있어야 한다(예를 들어 음악 지도자, 미술가, 극작가, 성악가, 기타 특별한 방법으로 예배를 강화시킬 수 있는 사람들). 어떤 형식이든지 간에 효과적인 현대 예배를 인도하는 데 필요한 모든 기량과 재질을 갖고 있는 사람은 아무도 없다. 따라서 목사는 예배 팀을 잘 훈련시키고 인도해야 한다. 책임을 맡고 있는 목사는 예배 팀과 회중을 헌신적으로 인도해야 하고, 또 그렇게 할 수 있는 뛰어난 능력이 있어야 한다. 이 모든 것이 목사에게 요구되지만, 목사가 다른 사람들과 함께 일할 때 더욱 효과적인 예배를 가능케 한다.

음악 지도자는 갱신을 위한 예배 팀 안에서 두 번째로 중요한 지도자다. 모든 유형의 현대 예배에서 음악이 가장 중요한 부분을 차지하기 때문에, 음악 지도자의 역할은 결정적이다. 음악이 제 역할을 해야 예배가 제대로 드려진다. 음악이 제 역할을 못할 때, 예배는 완전히 망가진다. 음악은 기존의 교인을 섬기며 새로운 청중에게 접근하기 위한, 교회의 일차적인 복음의 도구로 사용된다. 텔레비전과 라디오의 음악 혁명이 가까이하기 쉽고 기억하기 좋은 음악을 장려한다면, 교회 음악 지도자는 성서적이고 단순하고 정서를 표현하는 음악을 추구해야 한다. 목사가 변화를 주도하고 지원하는 동안에, 음악 지도자는 그 길을 인도해야 한다.

예배 팀에 유능한 음악 지도자를 세움으로써 더 많은 비용이 필요할 수도 있다. 음악 지도자는 점차로 자원 봉사자가 아니라 사례비를 받는 전문가가 되고 있지만, 이들에게 투자하는 돈은 아까운 돈이 아니다. 한 음악 지도자가 예전적인 예배와 찬양 예배와 구도자 예배를 모두 인도할 수 있는 경우는 아주 드물다. 회중은 점점 더 다양한 예배를 위해 다양한 음악 지도자를 고용하고 있다. 독학으로 배운 젊은 키보드 반주자가 복음성가를 위해 가장 적합한 반

예배를 확 바꿔라

면, 전통적으로 훈련된 오르간 반주자는 찬송가에 적합하다. 모든 음악가들에게 사례비를 줄 필요는 없지만 사례비를 받는 지도자들은 음악 프로그램을 보완해 주는 유능한 자원 봉사자들의 관심을 끌 것이다. 적합한 음악 지도자를 발굴하고 사례비를 지원하는 데 열심인 회중은 성공하겠지만, 자원 봉사자들로 그럭저럭 어떻게 해 보겠다는 회중은 제한된 성공을 거둘 것이다. 좋은 음악가들에게 투자하고 그들을 팀에 합류시켜라.

그 다음에 목사와 음악 지도자들은 다른 사람들을 팀에 포함시켜야 한다(성가대 지휘자, 성악가, 성경 봉독자, 극작가, 성찬 준비 위원, 미술가, 무용가, 그 외 다른 재능을 지닌 사람들). 예배 팀은 한 집단이나 다른 집단을 '대표하는' 사람들을 배치하는 곳이 아니다. 그런 사람들은 종종 기존 교인의 한 부분만을 대변하는 사람들이 된다. 오히려 예배 팀은 능동적인 예배 리더십에 중요한 역할을 행사하는 사람들로 구성되어야 한다. 이 전체 팀은 적게는 세 사람, 많게는 열 사람까지 구성될 수 있다.

예배 팀의 구성과 함께 일이 시작된다. 예배를 인도하는 과업은 팀 구성원들이 더욱 다양한 예배를 경험하게 하는 것에서 시작해야 한다. 예배의 새로운 경험은 손에 넣을 수 있는 모든 찬송가와 예배서를 더욱 진지하게 연구하는 것을 포함한다. 훌륭한 자료들이 이미 책꽂이에 꽂혀 있고, 이 자료들은 성만찬과 세례와 같은 필수적인 예전들에 대한 의식의 전환이라든지, 치유 예배와 같은 고대의식(ancient rite)들에 대한 새로운 탐구를 위한 탁월한 조언들을 제공한다. 책꽂이에서 당장 꺼내볼 수 있는 것부터 시작하라. 그러나 대부분의 배움의 출처는 인쇄물이나 비디오나 교단의 자료들이 아니다.

팀의 각 구성원들에게는 그들이 배워야 할 특별한 것들이 있다. 목사는 우선 음악에 대해서 더 많이 배워야 하고, 음악 지도자를 신뢰해야 한다. 음악 지도자는 일차적으로 자신들의 경험을 교단 찬송가와 교회의 고전적인 레퍼토리 너머로 확장해야 한다. 새로운 음악을 만들고, 현대적 기독교 복음성가, 떼제 음악, 그리고 세속 음악을 시도해야 한다. 이런 모색 속에서 음악 지도자는 자신들이 사용하는 출판 및 배급사의 범위를 넓히고, 오르간과 피아노에서 새로운 악기로 이동해야 한다. 팀의 다른 구성원들 역시 그들의 지평을 넓힐 필요가 있다.

그러나 예배 팀은 여기에서 멈추어서는 안 된다. 팀의 모든 구성원들이 스스로 대안 예배를 경험할 필요가 있다. 그들은 다른 교회들, 특히 그들 지역에서 성장하는 교회들과 특정 집단의 사람들을 대상으로 효과적인 예배를 드리는 교회에서 예배를 드려봐야 한다. 윌로우 크릭 교회, 기쁨의 공동체, 수정 교회, 그리고 기량이 뛰어난 지도자들에게서 배울 수 있는 다른 교회에서 열리는 컨퍼런스에 참석하는 것은 매우 귀중한 배움이 될 것이다. 이미 새로운 길을 기획해 온 예배 지도자들에게 배워라.

함께 계획하는 헌신은 효과적인 예배 팀의 결정적인 자질이다. 예를 들어 새로운 예배를 계획할 때, 예배 팀의 지도자(대개의 경우 목사)는 최소한 다음 3개월 간의 모든 예배를 계획하고, 요일과 날짜를 지정하며, 성경 본문과 각 예배의 주제를 확정하고, 그 초점을 명확하게 기록해야 한다. 이렇게 할 때 회중의 특정한 관심과 필요에 부합하는 초점이 제기될 것이다. 그 다음에는 이 계획을 예배 팀의 모든 사람들과 나눠라. 그러면 그 팀은 함께 음악, 복음성가, 시각 기재, 드라마, 그리고 예배에 관한 다른 모든 것들을 선택해야 한다. 이 정보를 모든 회중과 나누고, 다른 이들도 함께 참여하도록 초대하라. 좋은 계획은 꼭 필요하다.

배우고 계획하면서, 예배 팀은 변화에 대한 두려움을 몰아내고, 변화를 위해 회중을 준비시켜야 한다. 사실 변화는 두려운 것이다. 전에 한 번도 시도해 보지 않았던 예배 경험은 불안감을 조성한다. 그러나 두려움은 예배가 변하기 전에 뛰어넘어야 할 처음이자 가장 큰 장애물이다. 상황이 아무리 좋아도 변화는 어려운 법이다. 여행의 목적지가 어디인지도 정확히 알지 못한 채 새로운 땅을 향해 출발한 아브라함과 사라는 좋은 모델을 보여준다. 아브라함과 사라는 그들의 인도자가 누구인지를 알았기에 굳센 믿음으로 따랐다. 오늘날의 교회도 마찬가지다. 예를 들어 기존 교회들은 젊은 세대에 대한 두려움을 이겨야 하고, 새로운 세대에 접근하기 위하여 시간과 돈과 인원을 기꺼이 투자해야 한다. 개척자 세대는 자녀들과 손자들이 신앙생활을 하게 되기를 간절히 원해야 한다. 그런데 오래된 기성 교회들의 대부분은 두려워하고 저항하며 그런 골치 아픈 일을 시도하려고 하지 않는다. 그러나 변화를 감행하고 두려움을 극복하는 소수의 교회들에게는 큰 복이 따를 수 있다.

실험할 수 있는 용기는 예배 팀에게 필요한 또 다른 자질이다. 예배 팀은 기꺼이 어떤 새로운 것을 시도하거나, 새로운 음악을 연주하거나, 비디오를 보여주거나, 드라마를 공연하거나, 예복들을 옆에 벗어놓거나, 오르간 플러그를 뽑거나, 혹은 새로운 악기로 연주할 수 있어야 한다. 하나님은 모든 것을 창조하셨고 보시기에 좋

예 배 를 확 바 꿔 라

다고 하셨다. 따라서 교회는 하나님이 제공해준 모든 것을 사용하도록 배워야 한다. 각 팀은 창조적인 방법으로 드리는 예배 안에서 하나님의 은혜로운 임재를 깨닫고, 반응할 수 있어야 한다.

실험을 하면서, 모든 예배 팀은 실패의 가능성을 예상해야 한다. 모든 것이 생각대로 움직여주지는 않을 것이다. 하지만 실패란 것이 무엇인가? 성실히 노력해도 실패는 따른다. 모든 사람들이 새 음악을 좋아하지는 않을 것이다. 기존 교회에 속한 대부분의 사람들은 그들이 이미 알고 있는 형식의 예배를 선호한다. 모든 장비가 지도자들이 계획한 대로 움직여주는 것은 아니다. 그러나 실패는 받아들일 수 있다. 문화에 상응하여 이야기하려고 했던 바울의 방법은 아테네인들에게 효과가 없었다. 그는 배운 바가 있었고, 그 후 고린도로 옮겨갔다. 웨슬리는 조지아에서 실패했고, 실패를 안고 돌아오는 중에 모라비안들에게 배웠다. 여자 성경 공부반(The Ladies Bible Class)은 OHP를 사용하여 본당에서 복음성가를 부르는 다른 교인들에 대해 가장 먼저 반감을 가질지도 모른다. 이따금씩 찾아오는 실패는 피할 수 없다. 실수로부터 배우고, 다시 시도하라. 두려움으로 물러서지 마라.

마지막으로 예배 팀은 끊임없이 평가하고 또다시 시도해야 한다. 무엇이 잘못됐는지를 배우라. 그리고는 듣고, 배우고, 더 들어라. 하나님의 비전을 듣고, 두려움을 이기고, 더 많이 계획하고, 또다시 실험하라. 모든 경험은 더욱 효과적인 예배를 위한 건축용 블록들이다.

이 첫 단계는(함께 배우고, 계획하고, 실험하고, 실패를 무릅쓰고, 평가하고, 다시 실험하는) 복음을 전하는 예배의 효율성에 가장 근본적인 것이다.

질문하라

함께 일하기로 헌신한 예배 팀이 어떤 변화를 일구어내기 전에 예배의 개혁과 갱신을 위해 먼저 해야 할 일은 올바른 질문을 하는 것이다. 예배에서 어떤 변화를 만들기 전에 각 예배 지도자와 전체 회중과 예배 팀은 다음의 질문들을 스스로에게 하고, 분명한 대답을 얻어야 한다:

- 우리는 하나님의 은혜에 열려 있는가?
- 우리는 복음을 다른 사람들과 기꺼이 나누겠는가?
- 우리는 우리가 이미 섬기는 사람들 외의 새로운 사람들을 기꺼이 찾고 섬길 것인가?

- 우리는 교회에 나가지 않는 사람들, 구도자들, 전에 잠시 다녔던 사람들에 대해 열정을 갖고 있는가?
- 우리는 예배가 새로운 사람들에게 접근하는 일차적인 방법임을 이해하는가?
- 우리는 새로운 사람들이 우리 예배를 비판할 때 기꺼이 경청할 것인가?
- 우리는 선교를 위해 새로운 유형과 형식의 예배를 시도할 의사가 있는가?
- 우리는 다른 사람들에게 접근하기 위해 얼마나 위험을 감수할 것인가? 우리 예배의 어떤 측면을 양보할 수 없는가?
- 우리가 결정할 때 누가 혹은 무엇이 마지막 권위를 갖는가?
- 우리는 변화에 필요한 시간과 돈과 기술을 투자할 의향이 있는가?
- 우리의 새 예배는 우리가 믿는 바를 반영할 것인가?[1]

이들 각각의 질문에는 조심스럽고 사려 깊은 대답, 즉 모든 예배 지도자들이 인정하고 채택한 대답이 필요하다. 이 질문들에 대한 대답들은 어떤 회중이 생명력 있는 예배를 제공할 것이지 혹은 효과가 없는 방법으로 기존의 예배를 지속할 것인지를 결정할 것이다.

예배 팀이 이 질문들을 했을 때, 쉬운 질문들이나 답변들에 만족해서는 안 된다. 한 가지 중요한 질문은, 과연 우리가 새로운 예배를 시작하기 위해서 교회의 제한된 자원들을 투자할 의지가 있는가 하는 것이다. 새로운 예배를 시작하기 위해서는 한 명의 음악 지도자를 더 고용하거나, 전자 피아노를 구입하거나, 일 주일 중 또 하루를 집중적인 연습에 할애하거나, 목사가 (심방 시간을 줄이고) 예배 계획을 위해 더 많은 시간을 투자해야 할지도 모른다. 너무나 많은 교회들이 비용도 계산하지 않은 채 급하게 새로운 예배를 도입했다가 두어 달이 못 되어서 포기해 버린다.

이 질문들에 대답하면서 예배 팀과 지도자들과 회중은 기존의 예배 유형들을 바꾸어야 할지, 약간의 변화를 주어야 할지, 혹은 그저 원래대로 유지해야 할지를 결정할 수 있다.

비전을 세우라

비전이나 사역의 목표(mission statement)를 세우는 일은 예배 갱신을 위한 세 번째 필수 요소다. 한 교회의 예배팀과 그리고 교인들이 주요한 비전을 분명히 깨닫기 전까지는 어느 방향으로 가야 할지를 정확히 알 수 없다. 자신이 가야 할 방향에 대해 무관심한 사람은 어느 길을 택하든지 상관없다. 그러나 방향이 정확한 사람은 어떤 길을 따라가야 하는지가 분명하다.

기쁨의 공동체의 목표는 전체 목회와 특히 예배의 비전을 다음과 같이 정의한다 : "우리는 성령의 감화로 인한 기쁨으로 예수 그리스도의 사랑을 나누며, 모든 사람이 예수 그리스도를 알고 그의 교회의 책임 있는 구성원들이 되도록 한다." 이 비전은 기쁨의 예배를 통하여 새로운 사람들에게 나아가고 그들을 예수의 제자들로 만드는 것이 자신들의 초점이라는 것을 분명히 한다. 모든 예배 팀은 기억하기 쉽고(Memorable), 영감을 주며(Inspirational), 성서적이고(Scriptural), 영적이고(Spiritual), 초청하며(Invitational), 선교하는(Outreaching), 눈에 띄는 사역의 목표(Mission statement)를 세워야 한다.

비전 수립의 중요한 과제는 예배 팀, 지도자, 회중에게 예배가 선교적인 노력임을 상기시키는 것이다. 그리스도를 소개하고 성서적 성화를 전파하며 땅을 경작하는 복음적 과업이 예배를 형성해야 한다. 존 웨슬리의 전통에서 예배는 일차적으로 인간의 삶을 변화시키는 하나님의 은혜의 통로다. 예배를 통하여 하나님께 영광을 돌리는 것도 중요하지만, 하나님은 말씀, 물, 빵과 컵, 기도, 교제를 통해 인간의 삶이 변화될 때 더욱 영광을 받으신다.

교회는 예배를 새로운 사람들이 변화의 복음으로 양육되는 일차적인 기회로 이해함으로써 시작해야 한다. 스리랑카 출신의 감리교 감독인 나일즈(D. T. Niles)의 기록처럼 "복음주의는 …… 한 걸인이 다른 걸인에게 어디에서 음식을 얻을 수 있는지를 알려주는 것이다."[2]

청중이 누구인지 분명히 하라

이 첫 단계 가운데 가장 어려운 마지막 과정은 섬겨야 할 청중이 누구인지를 분명히 하는 것이다. 근래에 '마케팅'은 봉사와의 긴밀한 관련 속에서, 생산물에 대한 정보를 특정한 상황에서 특정한 청중에게 전달하며, 지식의 특별한 영역으로 자리잡아 왔다. 마케팅 언어가 몇몇 지도자들에게는 공격적으로 들리겠지만, 교회는 구성원들과 비구성원들을 성결한 사람들로, 우리의 사랑과 관심과 봉사의 주체들로, 또 마케팅 언어 안에서는 우리의 고객으로 대하고 있음을 생각해야 한다.

그러나 대부분의 교회 지도자들은 교인들이 순종 잘하고, 지속적인 운영에 기여하며, 어떤 사역이 제공되더라도 만족해하는 클럽 회원들이기를 여전히 기대한다. 교회는 그 자체로 목적이 되어 버렸다. 생동하는 예배를 드리려는 교회는 현재의 그리고 잠재적인 교인들을 특별한 영적인 요구가 충족되어야 하는 사람들로 봐야 한다. 너무나 많은 교회들이 울타리 밖에 있는 양에게 열정적인 관심을 보이기보다는 이미 울타리 안에 들어와 있는 양에게 우선적인 관심을 갖는다. 세례 받은 모든 기독교인들은 그들의 사역을 세계를 향한 통전적이고 복음적인 사역으로 봐야 한다.

이러한 마케팅 관점은 예수를 따르는 사람들만이 항상 하나님의 은혜의 고객이 되어야 한다고 생각하지 않는다. 사람들이 예수와 함께 걷기를 시작할 때, 하나님이나 교회는 그들이 순례자의 길을 계속 걷기를 기대한다. 처음 예수를 접한 모든 사람이 예수를 따르지는 않았다. 그러나 예수를 따랐던 모든 사람들은 섬김의 도를 배웠다. 근본적인 회심은 섬김을 받던 사람이 다른 사람들을 섬기는 사람으로 변하는 것이다. 기독교 언어로, 청중이 봉사자로 변했다. 마케팅 언어로, 고객이 공급자로 바뀌었다.

모든 효과적인 예배의 목표는, 사람들이 헌신적으로 진리를 따르고 그리스도의 섬김처럼 그들도 다른 사람들을 섬길 것이라는 기독교적 희망을 가지고, 사람들의 가장 기본적인 필요를 채워줄 때 시작된다. 그러나 교회가 먼저 구도자들에게 나아가지 않는다면 그들은 봉사자들이 될 수 없다.

　　선택에 의해서든 게으름에 의해서든 모든 교회는 특정한 청중에게 봉사한다. 반대의 주장이 있긴 하지만, 어떤 교회나 교단도 모든 사람을 섬길 수는 없다. 복음은 모든 사람을 위한 것이기 때문에 모든 교회는 모든 사람을 섬겨야 한다는 일반적인 신화는 순진하기 이를 데 없다. 가난한 자들이나 부유한 자들에게, 젊은이나 노인들에게, 모든 인종들에게, 교육의 정도가 높은 사람들이나 무지한 사람들에게, 구도자들이나 신앙인들에게, 각기 다른 언어를 사용하는 사람들에게 동일하게 접근할 수 있는 교회는 그 어느 곳에도 없다. 예배 팀과 교인들은 특별히 그들이 누구와 함께 일하며 어떤 방법으로 이 사람들을 예수 그리스도의 제자로 만들고자 하는지를 질문함으로써 그들 예배에 대한 평가를 시작해야 한다.

　　어떤 교회의 예배든지 간에 최소한 다섯 종류의 청중이 있으며, 이 다섯 청중 모두에게 **효과적인**(하나님과의 관계를 변화시키는 데 성공함) 예배도 있고, 비효과적인(하나님과의 관계 변화를 촉발시키는 데 실패함) 예배도 있다. 첫 번째 청중은 예배에 정기적으로 참석하는 기존의 신도들이다. 효과적인 예배는 일차적으로 기존의 신도들을 성화의 은혜로 양육하고 사랑의 완전을 향해 나가도록 인도하는 매개가 되게 계획해야 한다. 비효과적인 예배는 기존의 신도들에게 좀처럼 도전을 주지 않으며, 우선적으로 그들의 비위만 맞추려고 할 것이다.

두 번째 청중은 교회의 공식적인 혹은 비공식적인 평신도 지도자들이다. 이들을 위한 효과적인 예배는 그들의 봉사 사역을 인식하고 깊이를 더해줄 것이다. 비효과적인 예배는, 어떤 음악 행정 위원회의 위원이 예배의 특정한 측면을 반대할 경우 그 예배 행위가 사라질 정도로 주관 없이 그들에게 끌려 다닐 것이다.

세 번째 청중은 자원 봉사자들과 월급을 받는 피고용인들을 포함한 교회의 직원들이다. 너무나 자주 그들은 스스로를 으뜸가는 청중으로 간주한다. 예를 들어 어떤 음악 지도자가 자기 생각에 좋은 음악만을 선택하거나 어떤 목사가 특정한 본문 설교하기를 거부할 때, 이들은 봉사하는 위치에서 봉사 받는 위치로 바뀐 것이다. 직원들에게 효과적인 예배는 그들로 하여금 그들의 신앙을 표현하고, 동시에 다른 사람들을 섬기게 해준다.

네 번째 청중은 교단 본부의 임원, 감독, 감리사 급의 지도 목사, 교단의 지침과 공공의 문서들을 관리하는 공식 기관과 같이 교단적인 관심을 반영하는 사람들이다. 이들은 특정한 예배 공동체의 일부는 아니지만 원거리에서 영향력을 행사한다. 어떤 교회가 찬송가의 예배 순서에만 매달릴 때, 그 교회는 해당 교단에 대한 충성을 보였지만 비효과적인 예배를 드려온 것이다.

세 번째와 네 번째 청중은 모든 공동체에 있어서 아주 중요한 청중이다. 그러나 어떤 공동체도 그들을 우선적인 청중으로 여겨서는 안 된다.

다섯 번째 청중은 대개는 소홀히 여기지만 중요하다. 이들은 지역 공동체 내의 구도자들, 교회에 다니지 않는 사람들, 전에는 다녔으나 현재는 어느 교회에도 출석하지 않는 사람들이다. 모든 공동체는 주류 문화에서 소외된 사람들과 대부분의 교회에게 소홀히 여김을 받는 사람들로 가득 차 있다. 결과적으로 이 사람들은 복음에 대해 철저히 이방인들이다. 새로운 청중들을 지리적으로, 인구 통계학적으로, 문화적으로, 혹은 영적으로 고려할 수 있겠지만, 이들을 분류할 때 세대간의 구분은 가장 중요한 요소다. 공동체 내의 많은 사람들이 교회에 대해 무관심한 반면, 다른 많은 사람들은 아

예 배 를 확 바 꿔 라

직도 구도자의 길을 걷고 있다. 대부분의 교회는 자신들의 예배를 단 한 번도 교회 밖 이방인들의 시각으로 바라본 적이 없다. 교회는 그들의 지역공동체 안에 살고 있는 이 구도자들을 무시하며, 그들 내부의 기존 신도, 교회 지도자, 임원, 그리고 교단 관계자 들을 제외한 모든 사람들에 대해 문을 닫아 버린다. 하나님께서는 목자가 잃은 양을 찾고 여인이 잃어버린 동전을 찾고 아버지가 아들을 찾듯이 늘 사람들을 찾고 계신다. 모든 교회의 일차적인 청중은 바로 이 구도자들이 되어야 한다.

복음을 찾는 구도자들은 우리 주위에 너무나 많다. 테네시 주의 내슈빌에 있는 벨몬트 연합감리교회는 밴더빌트 대학으로부터 거리 하나를 사이에 두고 있다. 이 대학은 외국 학생, 특히 아시아와 아프리카에서 온 학생들이 많다. 이들 중 많은 학생들은 기독교에 대해 전혀 모르는데도 예배를 드리기 위해 벨몬트 교회를 자주 찾는다. 그들은 북미 문화에 대해 더욱 많이 배우고 기독교에 대해 알기를 원한다. 벨몬트 교회가 관심을 끄는 이유는 성경이나 예수 그리스도 혹은 오늘날 기독교인들의 신앙과 실천에 대해 전혀 모르는 사람들에게 복음을 해석해 왔고 또 그 일을 계속하기 때문이다. 어디에서 시작하는가? 처음에 무엇을 말하는가? 예배가 신앙을 어

5. 풍성한 예배 : 예배의 우선순위

떻게 표현하는가? 예배가 새로운 사람들에게 어떻게 예수의 이야기를 하는가? 벨몬트 교회나 다른 모든 회중이 반드시 기억해야 할 것은 그런 구도자들이 단지 해외에서 온 사람들 중에만 있는 것이 아니라 이미 우리 이웃들의 대다수를 차지한다는 사실이다.

이들 다섯 그룹들은 모두 정당한 청중들이며, 모두가 섬김을 받을 권리를 갖는다. 각 교회는 모든 청중들의 다양한 필요 사이에서 균형을 유지해야 한다. 그러나 기존의 신도와 평신도 지도자, 직원, 교단 지도자만 섬기는 교회는 선교에서 실패하고 결국은 폐쇄되고 말 것이다. 이들 기존의 그룹 안에 속한 사람들은 이사를 가거나, 다른 교회로 옮기거나, 사망할 것이다. 단지 현재의 구성원들만 섬기기를 계속하는 교회는 미래에 대한 보장이 없다. 특정 공동체 내의 교회 밖 구도자들을 섬기는 교회만이 다음 세대까지 살아남을 것이다. 대부분의 기성 교회는 현재의 구성 요소들에 안주해왔기 때문에 쇠퇴했고, 같은 이유로 쇠퇴를 계속한다. 유일한 생존 대안은 기성 세대가 젊은 세대에게 열성적으로 관심을 보이는 것이다. 조부모나 부모 세대는 그들 자녀나 손자들이 형성해 가는 하나님과의 관계에 대해 자신들의 세대와 마찬가지로 혹은 그 이상으로 관심을 가져야 한다. 기성 세대는 그들의 젊은 이웃들의 영적인 기억

예배를 확 바꿔라

상실증을 정성으로 돌보아야 한다. 현대 예배의 새롭고 독특한 유형의 출현은 교회 밖의 새로운 세대를 섬기려는 일부 회중에 의한 의도적인 노력을 반영한다.

일단 예배 팀이 대상이 되는 청중을 분명히 결정하면, 그 팀은 해당 청중의 목소리를 주의 깊게 들어야 한다. 그들의 허기를 만족시키기 위한 음식은 다양하다. 예배 팀은 자신들의 귀와 눈과 마음을 해당 청중에 맞추고, 그 사람들이 원하는 것과 필요한 것이 무엇인지를 알아야 한다. 모든 공동체는 각기 다른 요구를 가진 다양한 사람들이 살아간다. 작년에 요구하던 것들이 지금 요구하는 것과 다르고 내년에 요구할 것과도 다르다. 사람들이 어떤 책을 읽는지, 어떤 TV 프로그램을 보는지, 그들의 감정을 상하게 하거나 만족을 준 어떤 정치적인 힘들을 경험했는지, 그들의 가정에 무슨 일이 일어나는지 등을 질문하라. 이 책 뒤의 참고 도서 목록에 소개된 서적들은 세대간의 청중을 이해하는 데 얼마간의 도움을 줄 것이다. 예배 팀이 복음과 섬김을 받을 사람들을 자세히 알기 전까지는 예배가 구상될 수 없다.

청중 이해는 사람들에게 쉽고 만족할 만한 것을 제공하려는 것이 목적이 아니다. 사람들이 매일 어떤 문제를 직면하는가, 그들이 어떤 두려움에 부딪히는가, 그리고 그들이 어떤 고민들을 풀어야 하는가를 경청함으로써 하나님의 은혜를 선포해야 할 현장(context)을 마련할 수 있다. 때에 따라 은혜는 응답되기도 하고, 도전으로 다가오기도 한다. 그러나 말하기 전에 먼저 경청하라.

경청의 목적은 예배의 방향을 분명히 하는 데 도움을 주는 것이다. 목적지는 개개인에게 용기를 북돋아주고 보편적 교회를 강화시켜 주는 것이다. 음악은 교단의 공식적 자료나 다른 자료 속에서 찾아볼 수 있다. 회중 음악은 복음성가나 전통적인 찬송가들을 포함할 수 있다. 찬송가들을 한꺼번에 내던졌던 많은 교회들이 요즘은 예배 생활(worship life)의 일부에 찬송가를 다시 포함시키고 있다. 쉬운 대답으로 뛰어들기 전에 신중하게 경청하라.

교회는 그들의 지역 공동체를 주의 깊게 관찰해야 한다. 그러나 조심하라. 어떤 이들은 젊은 세대만이 적합한 회중이라고 믿고, 교인 숫자가 많은 교회만이 살아남을 것이라고 믿는다. 그러나 '어떻게 우리가 예수 그리스도 안에 나타난 하나님의 은혜를 특정한 공동체에 제시하고, 그에 따라 어떠한 반응을 유발하는가?'라는 일차적 질문에 관심을 둔다면, 어떤 상황에 놓인 교회라도 복음을 널리 증거할 수 있다.

북 캐롤라이나의 샬로테에 많은 젊은 사람들과 가족들이 대학 주위로 이주해 왔다. 같은 지역에 사는 기존 교인인 몇몇 노인들은 새로운 이주자들이 기존의 예배 유형을 수용한다는 전제 아래 그들을 환영했다. 대부분의 기존 교회에서는 아주 미미하게 예배 참석률이 증가하였다. 이와 동시에 같은 지역에서 새로운 교회들이 나타나기 시작했다. 침례교인들, 감리교인들, 장로교인들, 독립 교인들이 만든 새로운 교회들은 이전에 복음을 접한 경험이 거의 없는 젊고, 교육 정도가 높은 사람들을 선교의 대상으로 설정하였다. 새로운 교회는 편안한 예배 공간, 적당한 주차 공간, 어린이와 중고생들을 위한 프로그램, 그리고 무엇보다도 구도자들에게 직접적으로 복음을 증거하는 예배를 발전시켜 왔다. 이들 교회에서의 예배 참석률은 엄청나게 높다. 유형과 형식은 다양하지만 새로운 교회 모두 복음을 잘 나눌 줄 안다.

그러나 모든 교회가 이 도시 교회들처럼 될 필요는 없다. 몇 년 전에 린빌 연합감리교회가 죽어가고 있었다. 북 캐롤라이나의 그랜드파더 산 밑에 있던 교회는 매년 교인들을 잃었다. 거의 모든 교인들이 60세 이상이었다. 그러나 그 교회는 젊고 새로운 교인들에게 어떻게 호감을 줄 것인가를 고민하였다. 그들은 교실을 유아실로 개조해서 매주일 담당자를 배치하고 어린이들과 부모들이 오기를 기다렸다. 그러나 찾아오는 사람은 아무도 없었다. 이들이 겪었던 어려움은 그 지역에 아이를 가진 젊은 부부가 거의 없었다는 것이었다. 오히려 여름 한 철을 산에서 지내는 은퇴한 노인들만 증가하고 있었다. 그 교회는 증가 일로에 있는 이 노인층을 선교의 대상으로 삼겠다는 중대한 결단을 하였다. 그들은 다시 유아실을 헐고 큰 글자로 된 책을 빌려주는 도서관을 만들었다. 장애인이 쉽게 드나들 수 있도록 출입구를 개조하였다. 예배는 남부의 가스펠 전통의 찬송가를 주로 부르는 등 노인들에게 편안한 형식을 반영하였다. 그러자 사람들이 모여들기 시작했으며, 교회는 지금도 성장하고 있다. 어떤 교회든 자기 지역에 관심을 기울이고, 채워지지 않은 요구들을 인식하며, 새로운 방법으로 복음을 나눌 때, 하나님께서는 그 사역에 복 주실 것이다.

현대 문화는 모든 것을 서두르는 경향이 있다. 많은 사람들이 결정과 행동을 급하게 한다. 예배에서 빠른 결정과 빠른 행동은 거의 항상 실패한다. 서두르지 말라. 예배 팀을 구성하라. 질문을 하라. 비전을 세우라. 대상이 되는 청중을 선택하고 그 청중을 경청하

라. 이 단계들을 천천히, 그리고 신중하게 밟아 나가라. 그 후, 예배 개혁과 갱신을 향한 여정이 시작되었을 때라야 비로소 예배의 특정한 변화에 대한 이야기를 시작할 시기가 된 것이다.

6
예배의 네 가지 근본 요소

· **예배의 근본 요소** _ 예배를 개혁하는 첫 번째 방법은 예배의 근본요소들을 다시 강조하는 것이다.

· **하나님의 말씀** _ 성경의 풍부함과 충만함이 사람들에게 펼쳐져야 한다. 성서일과를 너무 빨리 내던지지 말라.

· **성례전** _ 예전적 행위들을 통하여 성례전은 구원사의 핵심을 전달한다.

· **기도** _ 예배 인도자들은 특정한 관심사를 가지고 기도해야 하며, 예배자들이 그들 자신의 관심, 희망, 꿈을 큰 소리로 표현하게 장려해야 한다.

· **공동체의 교제** _ 예배는 능동적인 참여를 통하여 회중의 사랑을 표현하고 상호간의 관계를 심화시켜야 한다.

예배의 네 가지 근본 요소

예배의 근본 요소 · 하나님의 말씀 · 성례전 · 기도 · 공동체의 교제

어떤 지역이든지 기존 교회의 대다수는 교인수가 적거나 감소하고 있다. 그들 예배는 대개 모든 대답을 알고 있는 듯하나 분명한 비전이 없고 특정한 대상 청중을 분간하지 못하는 한 두 사람에 의해 고안되었다. 그런 교회들은 예배에 참석하는 사람들의 숫자만 적거나 감소하는 것이 아니다. 그들은 새로운 사람들과 복음을 나누고, 전적으로 헌신된 예수 그리스도의 제자들을 만드는 데 실패하고 있다.

대다수의 기존 교회들에게 주어지는 일차적인 도전은 단순하다 : 어떻게 그들이 예수 그리스도의 제자들을 형성하기 위해 새로운 세대와 복음을 나눌 수 있을까? 기존의 많은 교회들이 드리는 예배(대개 예전적인 예배)는 외부인들에게 동떨어지거나 적대적으로 보인다. 많은 증거들을 통해 새로운 세대들이 기존의 교회 안에서 발견되는 예배의 많은 요소들을 거부하고 있음을 볼 수 있다. 어떻게 하면 기존 교회들이 복음의 통전성과 인간의 필요에 충실한 채 새로운 세대들에게 다가갈 수 있는가?

처음 단계(예배 팀을 구성하고, 올바른 질문들을 하고, 비전을 세우고, 청중을 분명히 하는 것 등)를 순서대로 밟아나가는 것만으로는 충분치 않다. 처음 단계가 효과적인 예배를 향한 여정에서 밟아야 할 유일한 순서들을 포함하는 것만은 아니다. 예전적인 교회들은 그들의 예배 형식과 유형을 세 가지 방법들 안에서 더욱 강화시킬 수 있다.

첫 번째 방법은 예배의 기본 요소들을 강조함으로써 예배를 개혁하고 강화하는 것이다. 회중 예배는 하나님의 말씀과 성례전과 기도와 공동체의 교제를 진지하게 여길 때 복음과 새로운 세대들에게 더욱 충실하게 된다. 이들 예배의 네 근본 요소들에 대한 강조가 이 장의 초점이다. 다음 장에서는 예배를 강화하기 위한 또 다른 두 가지 방법(의도적으로 새로운 사람들에게 호감을 주는 새로운 예배를 만들고, 예전적 예배, 찬양 예배, 구도자 예배로부터의 요소들을 함께 혼합함)을 논의할 것이다. 그러나 이 제안들의 목적은 변화를 위한 변화에 있지 않다. 변화 자체가 좋거나 나쁜 것이 아니다. 모든 세 가지 유형의 예배는 복음을 위해 회중 예배를 소생시키는 '갱신'을 목적으로 한다.

예배의 근본 요소

예배를 개혁하는 첫 번째 방법

은 하나님의 말씀, 성례전, 기도, 그리고 공동체 교제라는 예배의 근본요소들을 다시 강조하는 것이다. 스타일, 언어, 도구, 미디어, 음악, 예복, 환경, 그 외 예배의 다른 모든 측면들은 변할 수 있지만, 예배의 네 가지 필수 요소들(크게 읽고, 선포하고, 듣는 하나님의 말씀/ 올바르게 가르치고 행하는 세례와 성만찬의 성례전/ 드리고 확언하는 기도/ 말씀과 표적을 통한 공동체 내에서의 교제)을 소홀히 다뤄서는 안 된다. 초대 교회의 예배 형태에 근거한 이 네 요소들은 카르타고의 어거스틴에서부터 유럽의 종교개혁, 영국의 웨슬리안 신앙부흥운동(이들 네 근본요소들은 존 웨슬리가 제정한 은혜의 통로들이다), 미국 개척지의 천막 부흥집회(camp meeting), 오늘날 북미 문화 속에서 효과적으로 성장하는 모든 교회에 이르기까지 교회의 모든 부흥운동 안에서 강조되어 왔다.

새로 부상하는 교회와 기존의 교회 모두에게 놀라운 일은 예배를 회복시키기 위한 이 근본 요소들이 예전적 예배에서 발견될 뿐아니라, 예전적 예배의 중심에 위치한다는 사실이다. 이 요소들은 기존의 교인들에게 낯설지 않다. 즉, 효과적인 현대 예배를 위해 우선적으로 필요한 자원들이 이미 준비되어 있다. 기존의 많은 교회 안에서 효과적인 현대 예배를 드리지 못하는 이유는 단순히 이 네 가지 필수 요소들에 대한 지속적인 강조가 결여되었기 때문이다.

예배의 이 요소들은 기성 교단들(성공회, 루터교, 장로교, 연합그리스도교, 연합감리교, 기타 다른 교단들)이 현재 사용하는 찬송가와 예배서 안에 분명하게 표현되어 있다. 이 찬송가와 예배서들은 모두 현대 세계와 보편 교회의 전통에 충실하면서 기독교 신앙을 표현하려는 진지하고도 사려 깊은 시도들이다. 이 자원들 중에는 다른 것보다 더 현대 문화에 호소력을 갖는 것도 있으나, 이들이 아직 완전히 채굴되지 않은 풍부한 보고라는 점에서는 이견이 없을 것이다. 불행하게도 현대 예배를 향한 운동 안에서 이 찬송가와 예배서들을 폐기하는 경향이 있고, 심지어는 필수요소를 버리기도 한다.

효과적인 형태의 현대 예배를 찾는 예배 팀과 지도자들은 수세기 동안 교회를 지탱해 왔던 자원들을 잊지 말아야 한다. 현대화는 단순히 과거의 보물들을 내던지는 것을 의미하지 않는다. 예배의 형태들 위에 몰아치는 큰 변화의 한가운데서 자칫하면 예배의 근본 요소를 간과하기가 쉽다. 그러나 이렇게 하는 것은 풍부한 예

예배를 확 바꿔라

배 유산을 거부하는 일일 뿐 아니라, 개인적이고 일시적인 유행의 횡포에 교회를 내어놓는 일이다. 구도자들에게 도달하기 위한 예배를 회복시키고, 믿는 이들을 강건하게 만드는 첫째 방법은 예배의 네 가지 근본 요소를 강조하는 것이다.

하나님의 말씀

읽고, 선포하고, 듣는 하나님의 말씀은 모든 기독교 예배(예전적 예배, 찬양 예배, 구도자 예배)의 표준이 되어야 한다. 모든 예배는 하나님의 말씀을 중심에 두며, 하나님의 말씀은 중심에 머물러야 한다.

많은 찬양 예배와 구도자 예배들이 갖고 있는 강점은 그 시작에 있어 실생활의 상황들을 인식한다는 점과, 개인과 공동체가 직면한 문제에 관심을 집중한다는 데 있다. 그 관심의 범위는 이혼이라든지 돈을 잘 사용하기 위해 어떻게 기도할 것인가, 어떻게 기독교 신앙을 어린아이들과 나눌까 등 광범위하다. 그러나 예배가 삶의 문제들과 출발할 때, 해답을 제공하는 것은 하나님의 말씀뿐이라는 사실을 지도자는 기억해야 한다. 궁극적으로 대중 심리학(pop psychology)과 현대의 유행들은 구원의 수단이 되지 못한다. 스위스 신학자인 칼 바르트(Karl Barth)는 설교자가 한 손에는 성경을 다른 손에는 신문을 들고 있어야 한다고 충고한다. 바르트의 충고는 지금도 여전히 유효하다.

오늘날의 예배에서 어떻게 하면 말씀이 좀더 가시화될까? 기독교 예배에서 성경은 우상이나 아이콘으로서가 아니라 모든 사람을 위한 하나님 말씀의 계시의 원천으로서 인식되고 사용되어야 한다. 스크린 위에 성경 말씀을 비춰주는 것은 양손에 성경을 들고 하나님의 말씀을 크게 읽는 것에 대한 대안이 아니다. 잠깐 동안 말씀이 보이고 사라질 때, 성경의 일시적 영상화는 사람들로 하여금 말씀을 단순한 시각적 도구로 보게 만든다. 성경 자체를 사용해야 사람들이 성경을 읽게 된다.

성경의 풍부함과 충만함이 사람들에게 펼쳐져야 한다. 성서일과(lectionary)를 너무 빨리 내던지지 말라. 너무 많은 찬양 예배와 구도자 예배들이 성경의 극히 작은 부분(주로 복음서와 서신서)만을 사용한다. 이에 따르는 위험은 현대 설교가들이 구약과 신약에서 그들 자신의 특유한 작은 경전을 창조한다는 것이다. 목사들의 기억 상실증은 그들의 회중으로 하여금 성경의 높이와 깊이와 넓이를 잊게 만든다.

성서일과는 그것이 갖는 통전적 성격에서 가치를 갖는다. 회중
이 대강절에서 오순절까지 교회력을 따를 때, 그들은 예수 이야기
전체(메시아를 기다림, 메시아의 탄생, 현현, 세례, 변모, 수난, 죽음, 부활, 승천, 신앙 공
동체 위에 성령이 오심)를 듣는다. 성서일과가 계속됨에 따라 신구약의
구석구석까지 성경 전체가 신앙인들, 새로운 청중, 구도자들 안에
스며들고, 그것을 듣는 사람들은 그리스도의 이미지 안에서 자신을
형성하게 될 것이다.

성서일과는 새롭게 기독교화한 로마 세계에서 새로운 청중들
을 형성하기 위해 만들었으며 정확히 4세기에 완성된 형태를 갖추
었다. 4세기 초 콘스탄틴 황제의 출현과 더불어 점차로 기독교는
로마 세계의 지배적인 종교가 되었다. 제국의 이방 사람들은 종종
이 새롭고 고상한 종교에 대해 충분히 배울 겨를도 없이 기독교를
받아들이기 시작했다. 이들 새로운 기독교인들에게 필요한 것은 새
로운 신앙에 대한 이해와 정보였다. 그들은 마치 오늘날의 구도자
와 같았다. 교회가 이들 새로운 기독교인들에게 그리스도의 이야기
와 그 이야기가 그들의 삶에서 갖는 의미를 가르치려고 했을 때, 교
회는 신앙 전체를 가르치는 일차적인 수단으로서 교회력을 발전시
켰다. 성서일과는 일 년 동안 하나님의 강력한 활동들에 대해서 이

야기했고, 그 후에는 동일한 기본 이야기들을 매년 반복하여 복음이 모든 사람들의 이야기의 일부가 되도록 하였다.

오늘날 많은 신앙인들과 특별히 구도자들이 성경의 풍부함을 잘 모르기 때문에 성서일과는 교회가 지속되기 위해서 가장 중요한 전통 중 하나다. 성서일과에서 선택된 그 날의 본문은, 성서일과를 사용하지 않았다면 고려되지 않았을 현대의 당면한 문제들을 놀라울 정도로 자주 다룬다. 지도자들은 아마도 성서일과의 세 일과들과 시편 모두를 매주 사용하지 않기를 바랄 수도 있겠지만, 예배의 기본으로서 주마다 하나의 성서일과 본문을 사용하게 되면 확실한 성경적인 기초를 유지한다. 예를 들어 그리스도 중심의 두 주기('대강절/ 성탄절/ 주현절'과 '사순절/ 부활절/ 오순절')에 세 일과들과 시편 모두는 봉독되는 복음서의 주위를 순환한다. 이들 그리스도 중심의 주일들에는 성서일과의 복음서부터 봉독하기 시작한다. 두 기독론적인 주기들 사이에 위치한 평범한 기간들(주현절 이후의 기간과 오순절 이후의 기간)의 일과들은 반연속적인(semicontinuous) 경로를 따라 운용되며 어떤 하나의 주제를 갖지는 않는다. 이들 평범한 주일들에는 세 일과 중 어느 하나를 선택해서 봉독하기 시작한다.[1]

그러나 성경을 읽는 것만으로는 성실한 예배를 드리는 데 충분

하지 않다. 성경 말씀은 설교를 통하여 인간의 삶에 연결된다. 아무리 예배가 그 날의 음악과 드라마에 연결되고, 요약되고, 전달되어도 설교가 없으면 불완전하다. 드라마나 비디오 클립이 선포되는 말씀을 보완하기는 하지만, 드라마나 비디오로 설교를 대체하는 일은 피하라. 찬양 예배와 구도자 예배에 특히 전형적으로 사용되는 이야기, 설명, 교훈적 설교와 가르침들은 성경본문에 충실하면서도 현대인 청중들의 마음을 끈다. 좋은 설교는 항상 개인적 경건, 진지한 연구, 적절한 준비, 그리고 특정한 신앙 공동체에 대한 세심한 관심을 요구해 왔고, 지금도 여전히 요구한다.

그러나 성경을 읽는 것과 말씀을 선포하는 것만으로는 아직 충분치 않다. 하나님의 말씀은 듣는 이들의 응답을 불러일으킨다. 예배가 끝날 때 모든 회중은 "그래서?"라는 질문에 대답할 수 있어야 한다. 그 설교가 각 개인에게 어떤 변화를 가져왔는가? 효과적인 현대 예배는 말씀 봉독과 설교가 청중들과 연관되어야 한다고 주장한다. 가장 좋은 현대 예배는 사람들이 설교에 이어 반응할 수 있는 시간과 공간과 기회를 제공한다. 예를 들어 효과적인 예배는 예수의 치유목회에 대한 이야기 후에 회중에게 안수하고 기름을 바르며 서로를 위해 기도할 기회를 제공해야 한다.

말씀에 응답하도록 초대하는 것(설교나 가르침에 뒤따르는 논리적이고 순차적인 결말)은 반응의 촉매로서 작용한다. 제단 앞으로 불러냄, 묵상 기도, 구두 반응, 교인이 되거나 재헌신을 하라는 초대, 고백 기도, 증언, 찬송, 봉헌, 기타 수많은 반응들이 개인과 회중들을 하나님의 부르심에 응답하게 만든다. 설교나 가르침만으로 끝내라는 유혹에 넘어가지 말고, 청중들이 하나님의 은혜에 반응할 기회를 주라.

신앙인들과 새로운 청중과 구도자들이 읽고 선포한 말씀을 듣고 응답할 때, 그들은 그리스도의 제자들로서 성장한다. 하나님의 말씀은 효과적인 현대 예배의 첫 번째 근본 요소다.

성례전

세례와 성만찬은 예배의 두 번째 근본 요소다. 세례는 사람들을 기독교의 제자로 초대하고, 성만찬은 영적인 순례를 위한 양식을 제공한다. 어떤 현대 예배는 본문들을 생략하거나 줄이고, 예전행위들을 소홀히 하며, 그것들의 중요성을 축소함으로써 필수적인 은혜의 의식들인 세례와 성만찬을 무시하거나 경시한다. 특히 찬양 예배와 구도자 예배가 성례전을 경시한다. 그러나 하나님의 임재를 나타내는 이들 행위들을 경축함으로써 현대 예배 안에서 중요한 순간이 되게 해야 한다. 언어적 표현을 넘어서는 이러한 동작들을 통하여 성례전은 구원의 필수적인 메시지를 알린다. 그것들을 강조함으로써 복음의 핵심을 강조하는 것이다.

세례는 개인과 회중에게 현대 문화 속에 존재하는 악의 힘에 대항하고, 공개적으로 예수 그리스도를 구주로 고백하며, 기독교적 의무에 헌신할 기회를 제공한다. 웨슬리안 전통에서 세례는 원죄를 씻어주고, 하나님과 새로운 언약을 맺으며, 사람들을 교회의 일원으로 받아들이며, 우리들을 하나님의 자녀들과 하나님 나라의 상속자로 만든다.[2] 가장 좋은 현대 예배는 물과 찬양과 증언으로 풍성한 예배를 드리며 악에서 떠나 그리스도로 향하는 전환을 강조한다. 새로운 신자를 물로 씻고 안수하고 성령의 역사를 위해 기도하는 것은 가장 강력한 시각적·청각적 의식이다. 현대 예배는 그 자체로 새로운 세대의 기독교인들은 태어나는 것이 아니라 만들어지는 것이라는 하나의 증언이다. 세례는 우리가 그리스도의 몸의 일부가 되는 분명한 표지다.

세례 행위는 현대 예배 안에서 복음을 증거하는 훌륭한 수단이다. 첫째로, 수세자들(유아세례나 스스로 대답할 수 없는 경우에는 부모나 대부모)

이 공개적으로 그들의 신앙을 증언한다. 이 증언은 아마도 "예수 그리스도를 믿습니까?"와 같은 의례적인 질문들에 대한 답변을 통해 혹은 개인적인 간증을 함으로써 이루어진다. 그 다음에 회중은, 물로 거듭난 기독교인들의 본질적 신앙을 고백해 왔던 고대 기독교회의 예문인 사도신경을 암송하거나 읽음으로써, 세례 후보자들인 수세자들과 사도적 신앙을 고백하는 것으로 세례의식에 동참하게 된다. 물에 대한 축복은 사람들로 하여금 물을 통한 하나님의 구원 역사를 기억하게 만든다. 물에 대한 감사 기도(the prayer of Thanksgiving Over the Water)를 예식서에서 읽을 수도 있겠지만 만일 집례자가 이 기도의 삼위일체적인 구조를 잘 익힌 후 마음에서부터 기도한다면 훨씬 더 효과적이다. 예배 인도자나 회중이 예식서를 읽을 필요는 없다. 이 때 기도는 열정적이면서도 세례 받는 사람에게 적합한 기도가 되게 하라. 형식적인 예식서를 읽는 것에서 떠나, 의식의 관계적이고 표현적인 특성을 강조한다면 현대인들에 대한 세례의 능력이 회복될 것이다. 마지막으로 세례 의식이 진행되는 동안에 수세자들이 물을 보고 듣게 하라. 수세자들을 머리부터 발끝까지 씻어내라. 그리하여 새롭게 세례 받는 사람이 푹 젖게 하라.

몇 가지 소소한 행위들이 현대 예배에서 세례를 재 강조하는 것을 돕는다. 개인의 세례를 역사 속에서 일하시는 하나님의 크신 이야기와 연결하기 위해 특별히 주님의 세례, 부활절, 오순절, 성축일 같은 특별한 성일들을 맞아 세례를 베풀라. 누구나 볼 수 있는 큰 침례소(pool)와 세례대(font)를 만들고 침례소에는 사람들이 흐르는 물소리를 들을 수 있도록 인공 샘(fountain)을 설치하라. 성례를 지속적으로 상기하도록 침례소와 세례대를 모든 회중이 항상 볼 수 있는 곳에 두라. 어린아이의 부모나 성인 회심자의 대부모들이 수세자를 회중에게 개인적으로 소개하도록 권유하라. 마지막으로 수세자의 삶에 하나님께서 새롭게 임재하심을 강조하기 위해 수세자를 새 옷으로 갈아 입히거나, 세례의 촛불 혹은 그리스도의 촛불을 밝혀라. 그러나 이들 이차적인 상징들이 그리스도 안에서의 새로운 생명을 긍정적으로 증거한다 하더라도 집례자들은 그 상징들이 물로 씻어내는 일차적 행위를 가리지 않게 주의해야 한다.

세례를 다시 확인(reaffirmation)하는 의식들이 재발견되었는데, 이것들은 현대의 어떤 회중에게 적용하더라도 강력한 복음적 사건들이 된다. 세례나 견신례나 입교자가 없을 때 사용되는 이 의식에서 전체 회중은 사탄을 거부하고, 예수 그리스도를 구원자로서 새롭게 받아들이며, 신앙을 긍정하게 된다. 그 다음에는 세례와 다른 예전적 의식으로(모든 사람이 볼 수 있게 물을 들어 올려서 사람들에게 흩뿌리는 방법, 가장 좋은 방법은 사람들에게 물을 만지거나 머리와 가슴에 바르라고 초대하는 것이다) 사람들은 그들이 하나님과 맺은 세례의 관계를 재확인하게 한다. 세례를 재확인하는 의식이 진행되는 동안에 복음성가를 부르면 효과가 증대된다. 세례를 재확인하는 의식(Baptismal reaffirmation)은 가슴과 마음에 감동을 주는 예배에서 청각과 시각과 촉각을 모두 동원한다.

성만찬(Eucharist, Holy Communion, Lord's Supper, Divine Liturgy, Mass, Holy Meal, 혹은 Jesus' Dinner Party)은 읽고 선포한 하나님의 말씀에 대한 공동체의 가장 기본적인 응답이며, 어떤 형태의 현대 예배에서도 반드시 지켜야 한다. 성만찬은 그리스도의 행위에 대한 기념이고, 하나님의 은혜를 모든 사람들에게 전달하는 수단이며, 그리스도와 그를 믿는 사람들의 희생이고, 미래의 희망에 대한 자극이기도 하다. 확실히 성만찬은 구도자들에게 공동체에서 우리 구세주와 다른 신자들과 머물라고 초대한다. 빵을 먹고 컵에 있는 음료를 마심으로써 하나님의 사람들은 진정으로 예수 그리스도의 살아있는 현존 속에 거한다. 성만찬은 행위, 친교, 음식을 수반하기 때문에 현대 예배의 유형들에 아주 적합하고, 더욱 자주 거행될 수 있다.

점차로 성찬식을 매주 거행하는 교회들이 많아지며, 지도자들은 열심히 성만찬을 거행하는 교회에서 아직도 배우는 중이다.

'빵을 취하고(taking), 축사하고(blessing), 쪼개고(breaking), 분병 · 분잔하는(giving the bread/sharing the cup)'제의 행위에 초점을 맞추는 것은 현대적 양식 속에서 성만찬을 다시 강조하는 최선의 유일한 방법이다. 회중이 준비한 빵 한 덩어리와 큰 성찬배(혹은 잔, chalice)를 취하라. 빵과 잔을 하늘을 향해 들어 올리고, 즉흥적이면서도 구성이 잘된 성결의 기도(Prayer of Great Thanksgiving)를 하나님과 예수님과 성령님께 드려라. 모든 주요 예배서에 들어 있는 다양한 성결의 기도는, 잘 정리된 형태로 드리면서도 동시에 특정한 경우에 알맞게 드리는 기도의 훌륭한 예들을 보여준다. 현대 예배의 지도자들은 삼위일체의 모델을 배워야 하며, 그 후에 마음에서 우러나오는 기도를 해야 할 것이다. 예배 인도자나 회중의 구성원 그 누구라도 예배서를 읽어야 한다는 법칙은 전혀 없다. 잘 보이는 위치에서 담대하게 빵을 쪼개라. 평신도들이 빵과 잔을 분급하게 하라. 빵과 잔을 분급하는 동안에 현대의 복음성가를 불러라. 취하고(taking), 축사하고(blessing), 쪼개고(breaking), 나누는(giving) 행위들을 통해 다 함께 한 마디의 말도 하지 않은 채 신앙의 근본적인 메시지를 선포할 수 있다.

소소한 행위들을 통해 회중이 성만찬을 나누는 것을 극적으로 개선시킬 수 있다. 회중의 예전 행위들과 역사적 교회를 연결시키며 성일들(대강절의 첫 주일, 크리스마스 이브와 크리스마스, 주현절, 사순절의 첫 주일, 성목요일, 부활절, 오순절, 성축일 등)을 성만찬을 위한 날로 삼고 강조하라. 결혼식과 치유를 위한 예배를 드리며 거행하는 성만찬은 현대적 신앙을 표현하기 때문에 특히 효과적이다. 이와 더불어 예배 환경에 변화를 주고, 성만찬의 장소를 교회 밖으로, 친교실로, 호숫가로 옮겨 보라. 모든 사람이 빵과 잔과 예전 행위들을 분명히 볼 수 있는 위치에 성찬대를 두라.

건강한 현대 예배는 현대의 신자와 구도자들에게 복음의 근본적인 메시지를 소개하기 위해 세례와 성만찬을 강조하고 축하한다. 그들의 예전적 행위들을 통하여 성례전은 구원사의 핵심을 전달한다.

기도

셋째로, 기도는 예배자들이 하나님과 교류할 수 있는 중요한 (은혜의) 통로며 모든 예배 유형의 또 다른 근본적 요소가 된다. 하나님께 영광을 돌리고자 모인 모든 현대 예배에서는 (문학적 창작으로 미리 준비된) 예식적인 기도와 (즉흥적인) 자유 기도가 다 사용될 수 있다. 교회의 역사적 기도문들과 오늘날의 섬세한 영혼들로 지은 기도문들은, 모든 회중이 하나님께 말하고 듣는 중요한 통로가 된다. 기도는 소리내어 할 수도 있고 침묵으로 할 수도 있으며, 평신도나 목회자가 인도한다. 기도문은 주보에 인쇄하거나, 스크린에 비추거나, 예배 인도자나 회중이 즉흥적으로 드릴 수 있다. 역사적 교회의 공동 기도들은 예배자들이 스스로 창작한 상투적 기도에 빠지거나 자신과 가족만을 위한 자기 도취적인 기도에 빠지는 것을 (특히 즉흥 기도가 지루하게 반복될 때) 방지한다. 기도의 내용과 형식에서 다양성을 제공하라.

회중 기도는 구체적이어야 한다. 회중 앞에서 한 사람이 드리는 길고 추상적인 중보기도는 대개 회중의 마음을 끌지 못한다. 오히려 예배 인도자들은 특정한 관심사를 가지고 기도해야 하며, 예배자들이 그들 자신의 관심, 희망, 꿈을 큰 소리로 표현하게 장려해야 한다. 기도 인도자가 치유를 위한 기도와 같은 특정한 주제를 말하고 침묵 기도를 위한 시간을 줄 때, 설교 전의 기도들(bidding prayers)은 기도하는 것을 도울 뿐 아니라 구도자와 청중과 신자들에게 어떻게 기도해야 하는지를 가르쳐 준다.

또한 공동 기도의 다른 형태들이 현대 교회를 강화시킨다. 기도회(prayer service)는 역사적 교회에서 유래되었으며 현대 교회를 위한 큰 가능성을 내포한 역동적 형태의 공동 예배다. 「연합감리교회 예배서」(United Methodist Book of Worship)와 장로교의 「공동 예배서」(Book of Common Worship)에서 발견되는 매일의 찬양과 기도회(the Service of Daily Praise and Prayer)는 특히 교회 이외의 환경이나 가정에서 평신도들이 인도하는 예배에 적합하다. 시편과 성경의 기도들은 공동 기도를 위한 훌륭한 모델들이다. 이들은 진심에서 우러난 하나님과의 대화로서 종종 당장의 요구들을 호소한다. 교회의 성인들(saints)이 회중에게 기도하는 법을 가르치게 하라. 모든 현대 예배 속에서 특별히 강조되는 만인 사제직(모든 사람이 자기 자신뿐 아니라 다른 사람들을 위한 사제라는 개념)은 회중들이 열심히 기도 생활을 할 때 가장 분명해진다.

공동체의 교제

신앙인과 구도자들은 그들이 예배 드리기 위해 함께 모일 때 은혜와 신앙 안에서 성장한다. 구도자 예배와 일부 찬양 예배가 청중으로서의 회중을 강조하며 공연처럼 예배 드리는 경향을 보이지만, 반드시 예배는 능동적인 참여를 통하여 회중의 사랑을 표현하고 상호간의 관계를 심화시켜야 한다. 비록 회중이 기존의 (일차적인) 청중들에게 관심을 집중할 필요가 있다고는 하지만, 모든 연령과 상황과 인종과 배경을 갖는 사람들의 재능을 열린 마음으로 받아들일 때 하나님을 가장 기쁘시게 하는 예배가 된다. 기독교 공동체를 발전시키기 위한 능동적 참여는 모든 예배의 제일 목표다.

현대 예배는 공동체의 다양한 재능들을 사용함으로써 공동체를 발전시킬 수 있다. 예배는 목사 · 인도자 중심이나 창작이 되어서는 안 된다. 예배는 하나님 중심(God-centered)이어야 하되 사람들이 인도해야(people-led) 한다. 예배 인도자들은 회중 예배를 돕는 이들일 뿐 예배의 중심이 아니다. 각 공동체 안에서 예술가, 무용가, 음악가, 연극인 들의 재능은 예배를 풍성하게 만든다. 시각 예술가는 메시지의 전달을 돕는 상징들로 예배 공간을 채울 수 있고, 무용가는 말씀을 몸으로 표현할 수 있다. 음악가는 영혼을 움직이는 음악을 창조할 수 있고, 작가와 연극인들은 현대적 방식으로 메시지를 연결시킬 수 있다. 모든 교회는 많은 예술가들을 자원으로 갖고 있으면서도 종종 그들의 재능을 복음을 전하는 데 활용하지 못한다. 하나님께서 불러모으신 사람들을 향해 말씀을 선포하기 위해서는 하나님께서 각 회중 안에 배치해 두신 사람들을 활용하라.

사람들에 대한 포용적 언어(inclusive language)와 하나님에 대한 확장된 언어(extensive language)는 공동체를 세우는 데 절대적으로 중요하다. 현대의 많은 교회들이 남성의 역할과 하나님의 남성적인 특성을 강조하는 반면에, 현대 예배는 하나님이 아버지, 아들, 주인, 군주의 이미지에 제한될 수 없음을 깨닫고 남성과 여성 모두를 축복하기에 한창이다. 효과적인 예배는 성, 나이, 피부색, 능력, 경험에 관계없이 하나님의 사람들 모두를 시계(視界) 안에 두어야 한다. 하나님은 아버지, 어머니, 자상하고 강하신 분, 위엄 있으면서도 눈물을 흘리시는 분, 목자이자 주권자, 그리고 성경에서 명명되고 묘사된 수없이 많은 다른 이름들로 불려야 한다.

마지막이자 가장 중요한 것으로, 음악이 공동체를 사랑의 고리로 함께 묶어주는 가장 효과적인 수단 중의 하나임을 인식해야 한다. 유럽 대성당의 단조로운 영창에서 미국 황야의 수풀에서 부르던 회중 찬송과 큰 대강당에서 부르는 복음성가에 이르기까지 음악은 하나님과 사람들을 하나로 묶어준다. 찬양을 통하여 회중은 그들의 신앙과 경험을 서로서로 나누고 하나님과 나눈다. 각 회중의 특정한 음악적 기호를 반영하는 음악을 자세히 알아보고 부르게 하라. 매주 쏟아져 나오는 새로운 음악들에 관심을 가지라. 그러나 동시에 현대 음악이나 복음성가만을 연주하려는 유혹을 뿌리쳐라. 각 시대마다 나왔던 광대한 양의 음악과 찬송가들도 사용하라. 청중이 오직 한 가지 형식의 음악만 좋아한다고 너무 빨리 단정짓지 말라.

공동체의 교제를 증진할 수 있는 가장 좋은 방법은 예배 속에 음악의 양과 질을 증가시키는 것이다. 효과적인 예배의 최소 40%, 아마도 60%까지는 회중이 제공할 수 있는 최상의 음악으로 구성될 것이다. 찬양 예배의 가장 큰 장점은 찬양으로 부르는 말씀과 선포하는 말씀이 균형을 이룬다는 것이다. 구도자 예배를 드리는 회중은 음악을 통하여 전체 공동체를 하나로 묶어주는 데 더 많은 노력을 기울여야 하며, 예전적인 예배를 준비하는 이들은 개회시의 인사말부터 폐회시의 축도까지 어떤 예배 행위라도 찬양대나 회중에 의해서 노래로 불려질 수 있음을 기억해야 한다.

역사적 예배의 많은 부분을 폐기하려는 유혹이 존재하지만 이들 네 가지 예배의 근본 요소는 어떤 현대 예배에서도 필수적인 요소들이다. 창조적이고, 실험적이고, 문화적으로 적절한 예배를 드리려고 서두르는 예배 지도자들은 과거의 전통을 완전히 내던지지 않게 주의해야 한다. 목욕물을 버릴 때 아이까지 내버리지 말라. 실험하라! 새로운 기반을 세우라. 새로운 유형의 예배들을 시도하라. 그러나 아무리 교회가 예배를 개혁한다 할지라도, 예배의 전통적인 네 가지 근본 요소를 잊지는 말아야 한다. 말씀과 성례전과 기도와 공동체의 교제를 통한 목회는 하나님께서 사람들을 제자의 길로 부르시게 하고, 함께 모인 공동체가 그 부르심에 응답하게 만든다. 2000년 동안 교회를 유지해온 성인들(saints)의 네 가지 예전적 공헌들을 강조함으로써 그리스도의 몸은 새로운 세대 안에서 하나님의 복음을 계속 선포할 것이다.

예 배 를 확 바 꿔 라

7

새로운 예배와 혼합 예배

· **새로운 예배를 시작하라** _ 참석률을 높이고 즉각적인 예배 개혁
과 갱신을 시작하는 가장 쉬운 방법이다.

· **혼합 예배의 유형** _ 몇 가지 예배 유형을 결합한 혼합 예배가 구
세대와 신세대를 함께 섬길 수 있는 최상의 해결책이다.

· **예전적인 예배에 찬양 예배와 구도자 예배를 결합하라** _ 예
전적 예배 위에 찬양 예배와 구도자 예배가 갖는 최고의 장점과 통
찰력을 결합할 수 있는 많은 가능성이 존재한다.

7

새로운 예배와 혼합 예배

새로운 예배를 시작하라 · 혼합 예배의 유형 · 예전
적인 예배에 찬양 예배와 구도자 예배를 결합하라

예배 위원회가 예배를 평가하기 위해 다시 모인다. 위원회의 위원들은 손발이 척척 맞고, 어떤 질문을 해야 할지 알고 있으며, 분명한 비전이 있고, 대상 청중에 대해서 관심을 집중하기 시작했다. 그들은 또한 하나님의 말씀과 성례전과 기도와 공동체의 교제를 강조하기 시작하였다. 주일에 한번 드리는 그들의 예전적인 예배는 더욱 효과적이 되었다. 그러나 여전히 새로운 세대들은 멀어져 있고, 잠시 지나가는 청중은 있어도 남아 있는 사람이 없으며, 신자들은 좌절을 느끼는 것처럼 보인다. 여기에서 다른 방도를 취할 수는 없는 것일까? 다른 무엇을 예배 팀이 할 수 있을까?

두 가지 추가된 방법들은(새로운 예배를 시작하는 것과 한 예배 안에 다른 예배 유형의 요소를 혼합하는 것) 예배 위원회가 보일 수 있는 적절한 반응들이다. 교회가 새로운 예배를 시작하는 것은 새로운 사람들과 아주 새로운 방법들 안에서 예배를 이끌어 갈 가능성을 열어준다. 여러 가지 이유로 인해서, 또 다른 몇몇 교회들은 새로운 예배를 시작하는 대신에, 다른 유형의 예배에서 얼마간의 새로운 요소를 추가함으로써, 기존의 예배를 변화시키기로 결정한다. 이 두 방법 모두 새로운 세대들에게 다가서고, 새로운 제자들을 형성하는 데 적합하다.

새로운 예배를 시작하라

기존 교회들이 새로운 청중, 특히 새로운 세대에게 다가설 수 있는 가장 효과적인 방법은 완전히 다른 제 2, 제 3의 예배를 시작하는 것이다. 새로운 예배를 시작하는 것(주일 아침에 찬양 예배를 드리거나 토요일 밤에 구도자 예배를 드리거나 다른 때에 다른 종류의 예배를 드리는 것)은 예전적인 교회가 새로운 공동체에게 다가설 수 있는 최선의 방법이다.

새로운 예배를 시작함으로써 단순히 기존의 주일 예배를 개혁하거나 거기에 새로운 요소를 추가하는 것보다 훨씬 더 많은 사람들을 섬기게 될 것이다. 새로운 예배가 효과적인 이유는 많다 : 새로운 예배는 전통적 시간대에 참석할 수 없거나 참석하기 싫어하는 사람들을 불러오고, 주차 공간과 예배 공간의 수용력이 배가되며, (음악을 제외한) 비용을 많이 들이지 않고도 (헌금을 통하여) 재정이 늘어나고, 채워지지 않던 영적인 요구가 채워지며, 기존 예배를 유지하면서도 완전히 다른 예배 유형에 대한 가능성을 제공한다. 예배의 평균 참석률을 높이고 즉각적인 예배 개혁과 갱신을 시작하는 가장 쉬운 방법은 새로운 예배를 시작하는 것이다.

교회의 목표는 매주 어떤 대안적인 예배를 제공하는 것이다. 가장 성공적인 모델은 매주일 두 세 번의 다른 시간대에 각각 독특한 유형의 예배를 드리는 것이다. 목적은 구도자 예배를 통해서는 구도자들에게 다가서고, 찬양 예배를 통해서는 젊은이들을 섬기며, 예전적인 예배를 통해서는 오래된 기성 신앙인들을 돌보는 것이 될 것이다.

새로운 교회를 개척하듯이 새로운 예배를 시작하라. 꿈을 가지고 시작하라. 예배 팀은 자신들이 이루고자 하는 분명한 비전이 있는가? 만일 예배 팀이 자신들이 어디로 가고 있는지에 신경을 쓴다면 도로의 지도와 목적지를 마음에 품고 있어야 한다.

그 길은 어쩌면 순탄치 않을지도 모른다. 새로운 예배를 시작하는 것은 종종 현재의 교인들과 지도자들을 불편하게 만든다. 왜냐하면 새로운 예배는 새로운 사람들을 불러오고, 교회 지도자들에게 새로운 짐을 부과하며 기존의 상태에 도전을 가하기 때문이다. 예배 지도자들은 새로운 예배를 드리면 돈이 더 많이 들고 (특히 음악에서), 자신들의 일과 스케줄에 많은 변화가 온다는 것을 알아야 한다. 기본적으로 지도자들과 교회들은 새로운 사람들을 전도하고, 자신들에게 있는 모든 은사를 활용하며, 새로운 사람들이 가져올 모든 문제들에 대해 응답하는 강한 열정과 헌신이 없다면 새로운 예배를 시도하지 말아야 한다.

준비된 비전을 가지고 예배 팀은 진지한 장거리 계획에 착수해야 한다. 계획을 세우는 과정을 생략한 채 서둘러 새로운 예배를 시작하는 팀은 계속 실패한다. 무엇보다도 제일 중요한 일은 새로운 예배를 책임질 사람이 누구인가를 분명히 하는 것이다. 이 지도자들이 그 일에 바칠 능력과 흥미와 시간이 있는가? 주의 한마디! : 예배 팀이 계획을 할 때, 너무 빨리 예배를 시작해서는 안 된다. 처음 비전을 세우면서부터 새로운 예배를 시작하기까지는 아마도 6개월에서 1년 정도가 걸릴 것이다.[1]

그 다음에는 누가 대상이 될 것인가를 질문하라. 공동체를 조사하고 우선적 대상이 되는 청중을 결정하라. 그들의 필요가 무엇인가? 이 대상 청중 중에서 어떤 사람들이 계획을 돕고, 새로운 예배의 기초를 놓을 것인가? 복음에서 멀어져 있다는 이유 때문에 지난 수년간 지역 공동체 안으로 이주해 왔으나 교회에 다니지 않는 X세대와 Y세대들이 특별히 목표 대상이 되어야 한다.

어떤 유형의 예배가 제공될 것인지를 분명히 하라. 일단 청중이 결정되면 그 특정한 청중과 함께 복음을 나누기 위한 예배를 계획하라. 기존의 예배에 위태로울 정도로 많은 청중이 나오지 않는 이상, 새로운 예배의 형태는 처음의 예배와 완전히 달라야 한다. 왜? 두 번째 예배를 시작하는 것은 다른 사람들에게 전도하려는 노력이지 기존의 예배로 이미 섬김을 받는 사람들을 더 많이 불러오려는 것은 아니기 때문이다. 예를 들어 개척자 세대를 대상으로 하던 기존의 예배가 예전적이었다면 부머들을 위한 새로운 예배는 찬양 예배가 될 수 있을 것이다. 만일 기존의 예배가 형식적이라면 새로운 예배는 탈 형식적이 될 것이다. 만일 기존의 예배가 전통적인 찬송가와 오르간을 사용한다면 두 번째 예배는 복음성가와 키보드를 사용하는 것을 고려해야 한다. 만일 기존의 예배에서 예복을 입은 목사가 집례한다면 두 번째 예배에서는 회중과 비슷한 옷을 입은 목사가 집례를 할 것이다.

각 주의 무슨 요일과 몇 시에 새로운 예배를 드릴 것인지를 결정하라. 구도자들과 교회에 나가지 않는 사람들이 가장 많이 교회를 찾을 시간대를 고려하여 주일 아침 11시에 새로운 예배를 드리는 교회들이 점점 많아진다. 그러한 결정은 기존의 예배(주일의 이른 아침과 같은)가 새로운 시간을 필요로 하리라는 것을 의미한다. 이러한 급격한 변화를 기존의 교인들에게 설명하기 위해서는 교회의 본질이 현재의 구성원들을 섬기기보다는 새로운 사람들에게 전도하는 것임을 상기시켜라. 다른 공동체들은 금요일 저녁(특히 유대인들 중심의 공동체들), 토요일 저녁(토요일 저녁 미사의 전통을 가진 로마 가톨릭 중심의 지역들), 주일 오후(대학촌들), 혹은 주일 저녁(남부의 개신교 지역)에 예배를 드리는 것이 좋다. 대개의 경우, 주일 이른 아침은 여전히 침대에서 일어날 줄 모르는 구도자들이나 젊은이들에게 부담스러운 시간이다. 주일의 이른 아침 예배로 교회에 나가지 않는 사람을 성공적으로 전도하기란 무척 어렵다.

새로운 예배를 위한 또 다른 모델은 같은 시간대에 다른 공간에서 동시에 예배를 드리는 것이다. 예를 들어 싱가포르의 삼위일체 감리교회(Trinity Methodist Church)와 텍사스 러드벅에 위치한 그리스도의 제일 제자 교회(First Disciples of Christ Church)는 주일 아침 11시에 대예배실에서는 예전적 예배를, 친교실에서는 찬양 예배를 드린다. 두 그룹의 사람들은 예배 전후에 안마당과 공동 식당에서 만난다.

따라서는 안 될 하나의 모델은 가끔씩 기존 예배 대신으로 새로운 예배를 드리는 것이다. 예를 들어 어떤 회중은 매달 첫 주나 일년에 네 번 들어 있는 다섯 번째 주에 대체 예배를 시도해 왔다. 어려운 점은 가끔씩 드리는 새로운 예배가 기존의 예배를 좋아하는 교회 구성원들의 일부를 자극해서 매주 새로운 예배를 드리려는 사람들마저 좌절시킨다는 것이다. 완전히 새로운 예배를 드리든지, 아니면 아예 드리지 말든지 둘 중 하나를 선택하라.

새로운 예배에서 음악은 어떻게 할 것인가? 찬양 예배와 구도자 예배, 그리고 형식이 다소 이완된 예전적인 예배는 설교자(또는 강사)보다도 음악가인 예배 인도자에게 더 많이 의존한다. 새로운 예배들은 일차적으로 예배 형식이나 설교보다는 그들의 음악으로 규정된다. 그러나 근본적으로 다른 형식의 음악을 연주하고, 반주하고, 지휘할 능력과 의사를 가진 음악 지도자가 너무 적다. 한 사람의 음악 지도자가 다양한 형태의 음악을 잘 인도하리라고 기대하는 것은 비현실적이다. 일반적으로 새로운 예배를 시작할 때는 선택된 예배 형태에 적합한 새로운 음악 지도자를 고용하거나 발굴해야 한다. 찬양 예배의 음악 인도자는 찬양에 동반되는 키보드와 드럼과 컴퓨터들과 다른 악기들에 대해서 알아야 하며, 구도자 예배의 음악 인도자들은 예배를 위해 연주할 밴드를 운영할 줄 알아야 한다. 이와 더불어 새로운 예배는 종종 새로운 도구의 구입과 새로운 기술의 사용을 요구한다. 뛰어난 음악적 지원 없이는 어떤 형태의 새로운 예배도 시작하지 말라.

새로운 예배는 또한 예전적인 회중이 예배 중에 여러 은사들(gifts)을 나눌 수 있는 이상적인 시간이다. 촌극이나 비디오 클립들은 말씀의 전달에 생기를 줄 수 있다. 시각 기재는 밝고 극적이어야 한다. 예배의 형태가 다르면 다를수록 전혀 새로운 사람들에게 다가갈 가능성이 커진다. 다시 말하지만 이 새로운 은사들에 대한 성공의 열쇠는 계획이다. 특정한 예배를 구상하려면 최소한 3개월 전에 생각하라. 성경의 절이나 주제를 선택하라. 그 후에는 예배 계획팀의 다른 위원들이 찬양곡, 무용, 천장식(banner), 비디오, 드라마, 촌극, 혹은 마음에 떠오르는 다른 것들을 제안하도록 초대하라. 모든 감각(senses)에 호소하는 요소들을 제공함으로써 새로운 예배를 풍성하게 하라.

　새로운 예배가 시작되면 완전하고 세련된 예배 경험을 만드는 데 전념하라. 처음 예배가 가장 중요하다. 당신이 첫인상을 줄 수 있는 기회는 단 한 번뿐이라는 옛 격언을 기억하라. 모든 음악 인도자들이 제 위치에 있는가? 그들이 예배 형태를 알고 있는가? 설교가 문제의 핵심을 찌르는가? 은혜로운 환영을 하는가? 다음 3개월을 위한 완벽한 계획이 준비되었는가? 예배를 위한 다양한 은사들이 활용되는가? 설령 지도자들이나 교회가 새로운 예배를 '실험'이라고 생각할지라도, 계속 이어질 새로운 공동체를 형성한다는 생각으로 접근하라. 너무나 많은 교회들이, 새로운 예배를 몇 주 동안 시도해 본 후 평가할 것이라고 말한다. 문제는 어느 누구도 실험의 일부가 되기를 원치 않는다는 것이다. 헌신하는 마음을 가지고 주어진 기간(13주나 6개월이나 1년)에 같은 시간과 공간에서 매주 예배를 드리기 시작하라. 이 계획의 일부로서 첫 예배 시 대상 청중의 다수가 예배에 참여하게 하라. 기존의 교인 중에서 대상 청중과 비슷한 사람들은 처음부터 끝까지 이 첫 예배를 지원하는 데 전념을 다해야 한다.

　교회가 새로운 예배를 준비할 때 이해해야 할 일은, 그 예배가 성공적일 경우 새로운 사람들이 기존 교인들에게 더 많은 요구를 해 올 것이라는 사실이다. 유아실은 더 오랫동안 개방해야 할 것이다. 주일(교회)학교 수업과 다른 소그룹들을 확장할 필요가 있을 것이다. 건물의 마모와 파손이 더 많아질 것이다. 목회적 요구도 증가할 것이다. 마지막으로 기독교 신앙을 전혀 모르는 사람들이 예배에 참여할 때 기존 교인들은 기독교 신앙의 기본이나 기도하는 법, 혹은 새로운 사람들이 가장 흥미를 갖는 주제들을 가지고 강좌를 제공하게 준비해야 한다. 새로운 예배는 종종 진지한 영성훈련을 위해 다수의 소그룹을 만들 것을 강하게 요구한다. 성공이 만들어낼 성장의 수고를 위해 미리 계획을 세우라.

마지막으로 반대에 대비하라. 새로운 예배를 시작했을 때 기존의 예배 공동체를 만족시키는 경우는 아주 드물다. 새로운 예배를 시작하는 데 대한 반대 논리로는 두 번째 예배가 회중을 나눈다는 것, 한 건물 안에서 분리된 회중을 만든다는 것, 혹은 기존의 회중이 불편해 하는 부류의 사람들을 끌어들인다는 것, 시설물에 대해 너무 많은 강조를 한다는 것 등을 포함한다. 새로운 예배를 성공적으로 시작하고 몇 년이 지난 후에도 여전히 대부분의 교회들은 기존의 오래된 교인들이 정기적으로 하는 불평을 듣게 될 것이다. 성

예 배 를 확 바 꿔 라

장은 새로운 공동체, 새로운 요구, 힘의 분배, 그 외 더 많은 어려움들을 만들어 낼 것이다. 그러나 아무리 많은 예배를 드려도 회중을 하나로 묶어주는 것은 예배 팀과 교회가 갖는 예배에 대한 비전과 사명이다. 그 비전과 사명이 복음을 더 많은 사람들과 나눌 때, 새로운 예배들은 분리가 아닌 완성의 예배가 된다.

혼합 예배의 유형

예배를 강화하는 마지막 방법은 기존의 예배를 혼합 예배(blended worship)로 바꾸는 것이다. 단지 하나의 예배만 계획하는 기존의 많은 교회들에게 몇 가지 예배 유형을 결합한 혼합 예배가 구세대와 신세대를 함께 섬길 수 있는 최상의 해결책이다. 예배를 드리는 모든 공동체들이 세 가지 예배 유형(예전적 예배, 찬양 예배, 구도자 예배) 가운데 한 두 가지의 예배를 드리는 경향이 있는데 반해, 이 선택은 세 가지 유형을 함께 엮어서(weaves) 매주 하나의 예배를 드린다.

둘 이상의 유형을 혼합하는 데 대한 강조는 신앙인, 새 신자, 구도자들을 똑같이 만족시킬 하나의 예배를 드리겠다는 희망에서 출발한다. 이 혼합 예배는 어쩌면 예전적인 형식에다가 현대의 복음성가들과 드라마와 당일의 설교 안내를 위한 인쇄물들을 섞어 놓은 것이 될지도 모른다.[2] 다른 혼합 예배로는 약간의 찬송가를 사용하거나 성만찬을 더 자주 거행하는 찬양 예배가 있다.[3] 또 다른 혼합 예배는 (그리스도의 대속과 같은 무거운 신학적 주제를 설명하는 예배에서처럼) 주석적인 교훈들을 통해 신학적 문제들을 좀 더 직접적으로 다루는 구도자 예배가 있다. 그러나 혼합 예배가 예외 없이 겪는 어려움은 다양한 청중과 주제들을 대하려다 보니 결국 아무도 만족시키지 못한다는 데 있다. 혼합 예배는 아무리 잘해도 다양한 예배를 향한 중간 단계에 불과하다.

어떤 사람들은 혼합 예배가 '죽은' 예배로 끝나고 만다고 주장한다. 비록 혼합 예배가 단순한 복음성가를 부르거나 성서일과의 모든 본문을 읽는 것을 피하는 등 최소한의 필요에만 호소하는 듯싶지만, 그 의도는 예배를 통해 한 교회가 다양한 청중에게 공급할 수 있는 최상의 질을 제공하며 하나님과의 가장 효과적인 만남을 꾀하려는 것이다. '최상의 질'과 '가장 효과적'이란 말은 더 복잡하거나, 전례 법규가 비밀스럽거나, 어느 특정한 예배 유형에 노예처럼 끌려 다니는 것을 의미하지 않는다. 예배 지도자들의 목표는 그들이 나누려는 복음과 그들이 대상으로 하는 사람들을 분명하게 이해하고, 가능한 모든 자원들을 동원해 복음과 청중을 하나로 연결하는 것이다.

혼합 예배를 위한 계획들이 발전되어 감에 따라 예배는 공동체의 당면문제와 관련되어야 하며(relevant), 동시에 환영하는 분위기라야(welcoming) 함을 항상 기억하라. 모든 예배는 함께 모인 공동체 안에서 구도자들과 새 신자들과 신앙인들의 관심사를 직접 다루며 특정한 공동체의 당면문제에 적절히 연결되어야 한다. 예배 지도자들은 예배를 계획할 때, '이 행위와 언어가 복음을 제시하는가?' 와 '이 예배 행위가 누구에게 필요한가?' 를 항상 물어야 한다. 이와 더불어 모든 예배는 외부인들에게 더욱 환영하는 분위기를 제공해야 한다. 예를 들어 환영하는 예전적 예배(a welcoming liturgical service)는 인쇄된 주보를 통하여, 그리고 말과 행동을 통하여 방문자라도 쉽게 예배에 참여할 수 있게 한다.

어떤 변화나 교묘한 기술이 성공으로 이끌지 않는다는 것을 기억하라. 역사는 성급한 시도가 낳은 실패로 가득 차 있다. 예를 들어 강대상과 회중석을 나눈 것이 반드시 성례전적 생명력으로 연결되지 않았고, 예배 순서의 변화가 반드시 예배 갱신으로 연결되지도 않았다. 마찬가지로 복음성가가 살아있는 찬양으로 연결되는 것은 아니다. 어떤 변화라도 제시될 메시지와 그 메시지를 듣는 청중의 상황 속에서 만들어져야 한다. 복음과 청중에 집중할 때, 특정 그룹의 사람들에게 필요한 예배의 형태들은 훨씬 더 명확해질 것이다.

예전적인 예배에 찬양 예배와 구도자 예배를 결합하라

모든 회중 예배가 독특한 스타일을 갖는 반면에 특별히 기존 회중의 예전적 예배 위에 찬양 예배와 구도자 예배가 갖는 최고의 장점과 통찰력을 결합할 수 있는 많은 가능성이 존재한다. 다음의 제안들 가운데 어떤 것들은 상대적으로 이행하기가 쉬우나, 다른 것들은 훨씬 더 어렵다.

예배를 시작하기 전에:

1. 그 날의 주제, 화제, 본문을 정하라. 하나의 성경 본문이나 주제에 집중하라. 만일 성경으로 시작하는 경우라면 본문의 주제를 하나의 분명한 문장으로 정리하라. 만일 삶의 정황에

서 시작한다면 그 문제를 구체적으로 지적하라. 불분명한 주제는 예배를 산만하게 만든다. 예배의 모든 부분은 이 주제를 강조해야 한다.

2. "그래서?"라고 질문하라. 기존 회중이나 특정 그룹의 사람들이 이 예배 체험에서 무엇을 얻을 것인가? 새로운 헌신, 치유, 자신감, 더욱 화목한 가정, 혹은 다른 어떤 주제든 간에 그 날의 주요 목표를 하나의 분명한 문장으로 정리하라.

3. 예배 순서를 단순하게 하라. 그 날의 주제를 강조하는 것이 아닌 다른 모든 것을 삭제하고 또 삭제하라. 예를 들어 부름(gathering)과 보냄(sending forth)이 5분 이상, 혹은 길어도 10분 이상이 되어서는 안 된다. 예배가 말씀과 성찬 중심의 예배(service of Word and Table)로 행해질 때에는 설교 뒤에 비중 있는 성만찬 의식이 이어지지만, 말씀 중심의 예배(service of the Word)로 행해질 때에는 설교 뒤에 같은 비중의 응답이 뒤따라야 한다. 왜 회중이 소영광송(Gloria Patri, 라틴어로 '아버지께 영광' 이란 뜻 : 역자 주)을 매주 부르거나, 예배의 다른 어떤 부분을 매주 반복해야 하는가? 아무런 손실

없이도 전형적인 예전적 예배에서 최소 1/4까지 줄일 수 있으며, 사실상 그것들을 줄임으로써 예배가 상당히 강화될 수 있다.

4. 주차 공간, 유아실, 화장실, 안내 표시 등의 질을 높이라. 최근의 조사에서 이 네 항목들이 새로운 교회를 찾는 데 있어서 음악과 설교보다 상위를 차지하였다. 사람들은 쉽게 주차하고, 쉽게 유아실을 찾으며, 쉽게 화장실에 들르고, 예배가 시작되기 전에 쉽게 예배실을 찾을 수 있어야 한다. 어디가 문제인지를 알려면, 당신이 처음 교회를 방문했다고 생각하고 구석구석 다녀보아라. 좋은 예배 환경은 좋은 예배 경험을 낳는다.

5. 안내자를 이용하라. 예배를 시작하기 전에 모든 방문객이 목사를 포함하여 최소한 세 사람에게 환영받게 목표를 세우라. 사교적인 사람들이 주차장에서, 모든 입구에서, 예배실에서 사람들을 환영하게 하라. 목사는 예배가 시작되기 전에 회중석에서 방문객들을 환영해야 한다.

6. 모든 사람을 위해 이름표를 이용하되, 기존의 신자부터 시작하라. 이름표는 모든 사람이 다른 사람의 이름을 쉽게 보고 사용할 수 있게 만든다. 방문객만 이름표를 달게 하거나, 손을 들게 하거나, 스스로를 소개하게 일어나게 해서 그들을 돋보이게 하거나, 당황하게 하거나, 압력을 받게 하지 말라. 자연스러운 대안은 기존의 구성원이 일어나서 그들 근처에 앉아 있는 방문객에게 인사하는 것이다.

7. 주보를 없애라. 주보는 회중의 삶과 앞으로 있을 행사들을 알리는 데 더할 나위 없이 좋지만, 예배 중에 시선을 맞추는 데는 무척 방해가 된다. 찬송가 궤도를 다시 사용하든지 OHP, 슬라이드, 비디오 데이터 프로젝터(video-data projectors) 등을 사용하라. 만일 교인들이 예배 주보를 고집하면, 주보를 처음 방문자들이 보기에 쉽고, 이해하기 쉽게 만들라. 그 날의 말씀, 주기도문, 송영, 기타 예배의 모든 항목 안에 페이지 숫자를 집어넣어라. 여러 가지 찬송가가 사용되었을 때는 어떤 찬송가가 사용되었는지를 밝혀라. 교회의 전화번호와 유아실에 갈 수 있는 아이들의 나이 등 구도자

에게 유용한 다른 정보와 함께 예배 인도자의 이름을 써넣어라.

8. 음향 시설의 질을 높이라. 모든 사람이 예배 때 하는 모든 말을 분명히 들어야 한다. 음향 시설을 측정하고 '모든 사람이 분명히 들을 수 있는가?' 라는 질문에 답하기 위해서는 녹음기를 이용하여 회중석 뒷자리에서 예배를 녹음하라. 만일 음향의 질이 신통치 않으면 음향 전문가에게 연락하라. 소리만 크게 했던 과거의 음향 시설과는 달리, 새로운 음향 시설은 회중을 더 부드러우면서도 분명한 소리로 감싸주며 친근한 분위기를 만들어 준다.

9. 조명의 질을 높이라. 모든 사람이 모든 표정과 행위를 분명하게 볼 수 있는가? 뒷좌석에서 예배를 녹화함으로써 조도를 측정하라. 특히 강대상 뒤, 성가대 안, 세례반과 성찬대에 있는 예배 인도자의 얼굴 위에 드리운 그림자를 주목하라. '모든 사람이 모든 것을 밝히 볼 수 있는가?' 를 질문하고, 아닐 경우에는 전기 기사에게 연락하라.

10. 회중의 눈으로 전체 예배를 시각화하라. 회중석의 모든 사람들이 예배의 모든 상황들을 볼 수 있고 무슨 일이 일어나는지를 알 수 있는가? 그들이 유아 세례나 성찬대의 빵을 볼 수 있는가? 뒷자리의 구석에서 예배를 녹화하고, 소리를 끈 채 비디오 테이프를 보라. 그 예배의 시각효과가 얼마나 좋았는가? 천장식(banner), 예복, 장식, 그리고 모든 동작들이 독특하면서도 상호 보완적이었는가?

11. 예배가 시작되기 전에 성경 읽기를 연습하라. 읽기를 통하여 모든 사람이 그 날의 본문을 시각화하고 이해하게 하라. 말씀을 읽는 사람들은 이야기 읽기 수업을 들어야 한다. 진짜 성경을 이용하고 회중석에 놓여 있는 성경의 페이지 숫자를 알려주라. 읽기 전에 본문과 그 본문의 상황을 소개하라. 지시 대명사가 지칭하는 인물이나 지명을 분명히 밝혀라.

이제 예배가 시작되었다. 다음의 제안을 따라 해 보라.

12. 정시에 시작하라. 예배가 11시에 시작이라면, 이 시간이 예배가 시작되어야 하는 시간이다.

13. 예배의 속도를 유지하라. (시간 속에서의) 모든 죽은 공간들을 없애라. 텔레비전 쇼를 볼 때 그 사이 사이에 생기는 작은 멈춤의 순간들이 얼마나 신경을 거슬리는가를 기억하라. 의도하지 않은 멈춤이나 짧은 정지의 순간들로 인해 회중을 거슬리게 하지 말라. 예배를 녹음해서 듣고, 죽은 소리의 양을 측정하라. 의도하지 않은 모든 침묵의 공간을 제거하라.

14. 예배 인도자의 기도 시간을 줄여라. 긴 기도는 종종 초점이 없고 반복이 많다. 평신도가 공동 기도를 인도하게 하라. 사람들에게 기도하는 법을 가르치고, 그들로 하여금 기도하게 하라. 설교 전의 기도들(bidding prayers, 침묵의 시간이 뒤따르는 특정한 기도 요청들)을 이용하라. 변화를 주기 위해 전통적인 기도문만 사용하지 말고 다함께 소리 내어 기도하는 통성 기도를 시도해 보라.

예 배 를 확 바 꿔 라

15. 더 많은 음악을 사용하라. 음악이 최소한 예배의 40%(1시간 예배라면 25분)를 차지하게 하라. 음악이 예배의 40% 미만일 때, 그 회중은 아마도 구성원의 정체나 감소를 경험할 것이다. 환영의 인사(Greeting)부터 축도(Benediction)까지 예배의 모든 부분이 찬양대나 독창자나 회중이 노래로 부를 수도 있음을 기억하라. 음악은 많으면 많을수록 좋다.

16. 부르기 좋은 찬송가와 복음성가를 선택하라. 회중이 즐기는 노래와 찬송 조사를 하고 모든 예배에서 좋아하는 곡을 최소한 한 곡씩을 사용하라. 예배로 부름(call to worship)으로서, 혹은 행진을 하며 개회 찬송을 부르면서, 혹은 말씀에 대한 응답으로서, 혹은 회중이 하는 축복으로서 현대의 복음성가를 함께 사용하라. 음악의 혼합은 혼합 예배에서 가장 중요한 부분이다.

17. 새로운 노래와 찬송을 사용할 때, 회중이 예배 시 부를 가사와 음을 배우도록 기회를 부여하라. 찬양을 잘한다는 것은 찬양대든 찬양 인도자든(손을 잘 흔드는 사람보다는 목소리가 좋은 사람으로) 확실한 리더십과, 좋은 악기의 지원과, 회중에게

새로운 음악을 가르치는 분명한 교수 방법 등을 최소한 갖추었음을 의미한다. 만일 주보가 있다면 왜 그 노래나 찬송이 사용되었는지를 설명하고, 열심히 가사와 음을 가르쳐라.

18. 다양한 악기를 사용하라. 피아노와 오르간 외에 기타와 드럼과 신디사이저를 사용하라. 모든 회중은 일 주일에 한번, 한 달에 한번, 혹은 특별한 계절 행사에만 연주하는 악기 연주자들이 있다. 관악기 연주자를 부활주일 하루만 연주하게 하지 말라.

19. 어린이를 참여시켜라. 예배는 성인, 중고등부 학생, 어린이 모두를 위한 것이다. 성인과 어린이는 똑같이 예배에 참여할 수 있다. 어린이도 성경을 읽고, 헌금을 걷고, 춤을 추고, 노래하고, 기도를 인도하게 하라.

20. 교회력을 사용하라. 교회력은 하나님의 사람들 모두를 위한 복음 이야기와 성경에 대한 기초적이고 조직적인 소개를 한다. 대개는 그 날의 세 일과 중 하나의 일과만을 사용한다(대강절부터 오순절까지의 주일들은 복음서, 오순절 이후의 평범한 주일들은 세

예 배 를 확 바 꿔 라

일과들 중 어느 하나를 선택할 것).

21. 설교 원고를 없애라. 모든 사람들이 예배 내내, 특별히 설교 시간에 설교자의 눈을 볼 수 있어야 한다. 분명한 초점과 의도를 위해 설교를 쓰거나 주의 깊은 윤곽을 잡은 후에는 원고를 치워 놓아라.

22. 회중의 한가운데서 설교하라. 강대상에서 나와서 청중에게 다가가라.

23. 삶의 정황에 어울리는 설교가 되게 하라. 설교는 교리적이기보다는 성서적이고, 추상적이기보다는 구체적이며, 분리적이기보다는 관계적이고, 교훈적이기보다는 상상적이고 시각적이며, 문어적이기보다는 구어적이어야 한다. 구체적인 성경 이야기를 하고, 실제 삶 속에서 일어난 예화를 사용하며, 신학적 전문용어를 사용하지 말고, "우리가"보다는 "내가"를 더 많이 사용하며, 주제의 개요를 피하고, 눈보다는 귀에 호소하는 원고를 써라.

24. 설교의 주제에 대해 누가 관심을 가질지를 질문하라. 설교가 회중 내의 어떤 특정한 개인이나 청중이 안고 있는 문제를 다루고 있는가? 만일 '누가 관심을 갖는지'에 대해서 구체적으로 답할 수 없다면, 그 설교는 다시 써야 한다.

25. 말씀에 대한 응답으로 긍정적이고 구체적인 기도를 하게 하라. 기도는 목회자나 평신도가 말이나 침묵으로 인도할 것이다. 기도 레일(prayer rail)의 사용과 사람의 접촉을 권장하고, 회중이 앞으로 나올 수 있는 기회를 부여하라.

26. 회중의 은사를 사용하라. 무용가, 연극인, 시각 예술가 들이 그들의 재능을 사용하게 요청하라. 참여자들이 그들의 온 몸과, 극적인 재능과, 그림 그리기, 페인트 기술, 뜨개질, 기타 다른 기능을 예배에 사용하게 하라.

27. 시각 요소를 더 많이 공급하라. 보청기를 착용한 사람이 예배를 잘 드릴 수 있는가? 천장식(banners), 슬라이드, 비디오 클립, 성구, 기타 다른 물건 들은 예배 중에 무슨 일이 진행되

고 있는지를 모든 사람이 다 알게 도와준다.

28. <u>성례전을 시각화하라.</u> 성찬대를 앞쪽의 중앙으로 옮기라. 목사는 성찬대 뒤에 서서 취하고(taking), 축사하고(blessing), 쪼개고(breaking), 나누는(giving) 행위가 분명하게 보이게 하라. 세례식 때도 세례반을 중앙 앞쪽으로 옮기라. 수세자의 가족과 친구들이 목사의 뒤에 서게 하라. 물로 세례 주는 모습이 보이게 하라. 성인들이 복음에 대한 헌신의 표시로 세례를 받을 때는 회개와 그에 뒤따르는 헌신에 예배의 초점을 맞춰라.

29. <u>치유 예배나, 전체 회중이 참여하는 세례의 재확인의식(baptismal reaffirmation) 등 새로운 예전을 사용하라.</u> 사람들이 치유를 위해 안수 받고, 물을 만지며 자신들이 받았던 세례를 기억하게 하라.

30. <u>명확하며, 구체적인 필요를 위한 헌금이 되게하라.</u> 지정된 헌금(designated giving)이 종합 예산을 대체한다. 매주 주보에 다음과 같이 써라 : "방문자들은 헌금 시간에 헌금을 안

하셔도 됩니다. 여러분은 우리의 손님들이기 때문입니다." 이런 광고는 헌금을 모욕하는 것이 아니다. 단지 신앙인들과 교인들은 헌금을 해야 하지만, 구도자들은 그들이 편안히 느끼는 수준에서 헌금에 참여한다는 것을 분명히 하는 것일 뿐이다. 너무나 많은 교회들이 재정적 도움의 필요라는 이유 때문에 방문자들을 환영한다. 앞의 광고가 오히려 교인과 방문객 모두에게서 헌금의 총액을 증가시킨다는 것은 경험이 증명해 왔다.

31. 회중의 일원이 되라는 구두 초대에 반응할 사람은 거의 없다는 것을 기억하라. 일주일간의 단기 선교 팀에 합류하라는 초대와 같이 헌신을 위한 초대는 짧고 구체적이어야 한다. 등록 교인이 되라는 초대는 새로운 세대들이 결정할 마지막 헌신 중 하나가 될 것이다. 지금은 회중의 일원이 되겠다는 결정이 소그룹이나 목회자의 사무실에서 대개 이루어진다. 구도자들과 새신자들은 등록 교인이 되기까지 조심스럽게 양육되어야 한다.

32. 제 시간에 끝내라. 혹은 (사실은 이것이 더 좋은 방법인데) 제 시간보다 5분 일찍 끝내라. 추가 시간이 절대적으로 필요하지 않

은 이상 마치는 시간을 넘기지 말라.

33. 마지막으로 모든 예배를 예배 팀과 회중과 함께 평가하라. 예배 팀이 회중의 귀가 되게 하라. 매주 잘된 것이 무엇이고, 새로 배운 것이 무엇이며, 개선할 수 있는 것이 무엇인지를 질문하라.

모든 예배 팀과 회중은 어떻게 예배를 형성할 것인지를 결정해야 한다. 우리는 새로운 예배를 시작할 것인가? 우리는 혼합 예배를 함께 시작할 것인가? 우리는 이전 모습 그대로 머무를 것인가? 그러나 다음의 우선적 질문들을 기억하지 않고는 어떤 결정도 해서는 안 된다:

"어떤 복음을 우리가 선포하는가?"

"어떤 사람들이 이 복음을 필요로 하는가?"

예배에서 고삐를 놓자

미국이 생긴 지 얼마 안 되어 존 웨슬리는 새로운 땅으로 비밀 여행을 했다. 그는 새로운 감독 프랜시스 애즈베리(Francis Asbury)가 인도하는 순회 전도자들이 미국의 개척자들에게 얼마나 복음을 잘 전하는지 보고 싶어했다. 웨슬리는 북 캐롤라이나의 윌밍톤에 내려서 서쪽으로 길을 떠났다. 어느 주일, 웨슬리는 한 젊은 순회 전도자가 새로운 신자들의 속회를 만들었다는 야드킨 강 근처의 작은 정착민 마을로 갔다.

웨슬리가 마을로 들어섰을 때, 그는 아무 소리도 들을 수가 없었다. 모든 집은 비어 있었다. 심지어는 감리교 집회소(meetinghouse)와 평신도 지도자의 집도 비어 있었다. 웨슬리는 걱정이 되었다. 사람들이 잡혀가거나 끌려간 것은 아닐까? 전염병이 마을을 전멸시킨 것은 아닐까? 제대로 된 감리교인이라면 주일 집회소에 모여 찰스 웨슬리의 찬송을 부르고, 성서 일과를 따르며, 말씀의 예전을 읽고, 1784년 (영국 국교의) 「공동 기도서」(*Book of Common Prayer*)를 응용한 「감리교인으로 불리는 사람들을 위한 주일 예배서」(*Sunday Service for the People Called Methodist*)를 사용하여 성만찬을 거행한다는 것을 웨슬리는 알고 있었다. 도대체 감리교인들이 모두 어디에 있는 것일까?

그 때 웨슬리는 먼 곳에서 노랫소리를 들었다. 알 수 없는 음이었지만 그는 그 소리를 따라 나섰다. 강 아래쪽에서 웨슬리는 마을 사람 모두를 발견했다. 여자와 남자와 아이들이 흑인영가를 부르며 나무 그루터기에 서 있는 젊은 순회 전도자 주위에 모여 있었다. 그 때 그 순회 전도자는 성경을 펴서 성서일과에 지정되지 않은 본문을 읽었다.

웨슬리는 노발대발했다. 목의 정맥들이 솟아오르고, 그의 얼굴은 붉게 상기되었다. 그는 군중들을 헤치고 순회 전도자에게 다가갔다. 설교를 막 시작하려는 순회 전도자에게 웨슬리는 자기가 누구인지를 아느냐고 물었다. 그 순회 전도자는 "물론이지요, 저는 어디에서라도 당신의 얼굴을 알아볼 수 있습니다"라고 대답했다. 그러자 웨슬리는 설명을 요구하였다. 찰스 웨슬리의 찬송가를 부르고, 성서일과를 따르며, 예식서를 읽고, 성만찬을 거행하면서 자신들의 집회소에 있어야 할 감리교인들이 왜 여기에 있는가? 웨슬리는 새로운 세계에서 감리교인들이 어떻게 예배드려야 하는지를 정확하게 기록한 바 있다. 옥외에서 흑인영가를 부르고, 성서일과와 다른 본문을 읽는 것은 예배가 아니다!

그루터기에서 뛰어내려온 젊은 순회 전도자는 웨슬리에게 심장마비에 걸리기 전에 앉으라고 요청을 하였다. 웨슬리가 미국의 황야에서 죽어서는 안 될 일이었다. 웨슬리가 앉자, 그 순회 전도자는 다음과 같은 이야기를 들려주었다.

옛날에 한 농부가 마차를 타고 시장으로 가고 있었다. 그와 그의 말이 매주 똑같은 길을 따라 갔음에도 불구하고, 그 농부는 말의 고삐를 단단히 쥐고 있었다. 길이 왼쪽으로 나 있을 때는 말의 머리를 왼쪽으로 잡아채면서 고삐를 급하게 잡아 당겼다. 길이 오른쪽으로 나 있을 때는 말의 입이 조금 찢어질 정도로 고삐를 오른쪽으로 힘껏 잡아 당겼다. 그 농부와 말이 항상 시장에 도착하기는 했지만, 말은 늘 기진맥진해 있었고, 입에서는 피를 흘리고 있었다.

어느 날 농부는 길에서 한 여행자를 만났다. 그 여행자는 말을

부리고 학대하는 농부의 모습을 보았다. 여행자는 소리를 질렀다 :
"고삐를 그냥 놓아두세요." 잠시 생각하던 농부는 고삐를 놓았다.
그는 말이 가던 길을 멈추거나 길을 잃어버려서 결국 시간을 낭비
하게 될 것이라고 생각했다. 농부의 꽉 움켜진 손이 없는데 어떻게
말이 다음 동작을 할 수 있겠는가?

그 때 놀라운 일이 벌어졌다. 말이 돌아서서 농부를 바라보더
니, 길의 한가운데서 천천히 앞으로 걸어가기 시작했다. 그러더니
말은 조금도 길을 벗어나지 않은 채 더욱 빨리 움직이기 시작했다.
말과 농부가 마을에 도착했을 때, 말은 춤을 추기 시작했다. 그들은
전보다 더 빨리 마을에 도착했다. 말은 자유로웠고, 기운이 넘쳤다.
고삐를 놓음으로써 농부와 말의 관계와 공통의 과제를 수행하는 그
들의 능력이 근본적으로 달라졌다.

이야기를 마친 순회 전도자가 말했다. "웨슬리 선생님, 우리는
당신의 「주일 예배서」를 사랑합니다. 그러나 그것을 새로운 세계에
서 적용하기가 쉽지 않습니다. 제발 고삐를 놓아주십시오."

웨슬리는 영국으로 돌아가서 다시는 미국으로 돌아오지 않았
다. 그는 그가 죽는 날까지 하나님과 그가 만들어 놓은 것을 경이롭
게 바라보았다.

우리의 예배에서 고삐를 놓아보자. 하나님과 사람들이 우리의 예배를 인도하게 하자. 우리가 다 함께 하나님의 나라에 도착했을 때, 우리는 그 경험으로 인해 더 자유롭고, 더 신선하고, 더 풍성해 질 것이다.

부록 1

현대 예배의 유형
CONTEMPORARY WORSHIP PATTERNS

유형	예전적 예배 LITURGICAL	찬양 예배 PRAISE AND WORSHIP	구도자 예배 SEEKER
정의 (각자의 예배에 있어 기본적 조건 또는 요소들) **(DEFINITION)**			
예배의 틀	형식적 formal	비형식적 informal	구성(構成), 기획 및 각본에 의존 choreographed
본문선택	성서일과 lectionary	주제별 topical	현재적 이슈들 contemporary issues
전달	성서 본문 중심 textual	구두(말씀, 설교) 중심 oral	시청각 중심 aural and visual
응답의 표현	성찬 sacramental	음악 musical	공개적인 발표 presentational
찬송가의 사용	찬송가 hymnal	찬양집 praise chorus book	낱장 악보 sheet music
설교의 주제	전통적 연속성 historic continuity	현대의(당면하고 있는) 생활 contemporary life	문화적 연관성 cultural relevance
감동(호소력)의 수단	지성 cerebral	감성 emotional	정보성(새로움) informational

예 배 를 확 바 꿔 라

감동의 매체	들음 focus on ear	느낌 focus on heart	봄 focus on eye
주류 교인구성	구세대 old mainline	신세대 new mainline	개별적 independent

회중의 구성 및 특징 (AUDIENCE)

	기존(교회의) 신자들 churched believers	기존 교인들 churched believers	교회를 정하지 않은 구도자들 unchurched seekers
	기존 교회(와 연결된) 구도자들 churched seekers	기존 교회의 구도자들 churched seekers	(혼자 다니는) 독신자들 singles
	(교회의 기구나 단체에 소속되지 않은) 개인 중심의 신자들 unconnected believers		
	(미국역사에 있어) 개척자 세대 / 베이비 부머 세대 / X, Y 등의 신세대 / 밀레니엄 세대		
	builders/boomers	boomers/busters	boomers / busters / millennials

제일의 신학적 관점 (PRIMARY THEOLOGICAL CONCERN)

	죄 sin	(인생의) 상처 brokenness	무지 ignorance

(웨슬리의 개념을 통해 본) 선교적 과제 (전도에 있어서 필요하고 유용한 개념 및 업무) (EVANGELISTIC TASK)

	기존 신자들을 위한 집 house for believers	초신자들을 위한 현관 porch for hearers	구도자들을 위한 계단 steps for seekers
	성화의 은총 sanctifying grace	칭의의 은총 justifying grace	선행 은총 prevenient grace
	계속 교육 advanced catechesis	기초 교육 introductory catechesis	입문 전 교육 precatechesis

자료들 (예배를 돕는 기본적 개념 및 요소들) (SOURCES)

	찬송가와 기도서(예식서)들 hymnals & prayerbooks	음향 장비 radio	시청각 장비 television
	전통 tradition	경험 experience	이성 reason

회중의 역할 (ROLE OF CONGREGATION)

	참여자들 participants	참여자들 participants	수동적 청중 passive audience
	예배 인도자 liturgists	찬양대 choir	관객 observers

예배 공간과 환경 (SETTING AND ENVIRONMENT)

	예배당 sanctuary	강당 auditorium	극장 theater
	설교단 pulpit	성서 낭독대 lectern	의자 stool
	세례반 font	침례소 pool	영상화면 screen
	성찬대(제단) / 탁자 altar / table	탁자 table	무대 stage
	(회중석) 장의자 pews	(개인용) 의자 chairs	극장식 좌석 theater seating

	주일 오전
	
	Sunday A.M.
		주일
		  또는 수요일 오후
		
		Sunday
		  or Wednesday P.M.
			토요일, 목요일
			  또는 주일 오후
			
			Saturday, Thursday,
			  or Sunday P.M.

예 배 를 확 바 꿔 라

| | 주보 | 안내(소식)지 | 안내(소식)지 |
| | worship bulletin | announcement sheet | announcement sheet |

예배의 구조 (SHAPE OF SERVICE)

	입례	예배(찬양)	주제별 공연
	Entrance	Worship	Thematic Performance
	선포와 응답	설교(말씀)	질의와 대답
	Proclamation & Response	Teaching	Question & Answer
	성찬과 감사		
	Thanksgiving with Holy Communion		
	파송		
	Sending Forth		

예배 인도자들 (LEADERS)

	목사	강사	연사
	pastor	teacher	speaker
	성가 지휘자	예배(찬양) 인도자	밴드(악단) 인도자
	choir director	worship leader	band leader
	오르간 연주자	피아니스트에서 오케스트라	악단, 드라마팀
	organist	pianist to orchestra	band, drama team
	자원봉사자들	대다수의 자원봉사자들	전문가들
	some volunteers	many volunteers	professionals

예배 음악 (MUSIC)

	공동 찬양	개인 찬양, 합창	음악 감상
	"Joyful, Joyful"	"El Shaddai"	"Come Sunday"
	(UMH #89)	(UMH #123)	(UMH #728)
	communal hymns	individual choruses / hymns	listened to popular music

성가대와 회중 choir & congregation	찬양 인도자와 회중 leader & congregation	인도자 중심 leaders only
오르간과 피아노 organ & piano	키보드 keyboard	타악기와 (연주)테이프 percussion & tape
찬송가 hymnal	찬양집 chorus books	영사기 video projector
저예산에서 고비용까지 low to high cost	저예산에서 고비용까지 low to high cost	고예산 책정 high cost

예배에 사용되는 기계 장비와 기술의 정도 (TECHNOLOGY)

저급에서 고급까지 low to high	중급 이상 medium to high	중급 이상 medium to high

(저급 ; 찬송 따라 부르기, 게시물 없으며, 아카펠라 찬양, 피아노 사용)

low : line out hymns, no bulletin, a cappella singing, piano

(중급 ; OHP, 슬라이드 프로젝터, 스피커 달린 신디사이저 사용)

medium : overhead projector, slide projector, synthesizer with speakers

(고급 ; 영상/ 데이터 영사기, 노래 반주기, 그래픽이 첨가된 CD 사용)

high : video/data projector, karaoke, CD with graphics display

설교 (PREACHING)

성서일과 중심 lectionary based	연속 강해 continuous readings	주제별 thematic
주석 exegetical	강해 expository	해설 explanatory
성찬 중심 eucharistic	말씀선포 중심 kerygmatic	교훈 중심 didactic
(목회자) 집례자 pastor as presider	교사 pastor as teacher	인도자 pastor as guide
일반적(평이한) 스타일 transparent style	개성적 personality	개성적 personality

예배의 변수들 (VARIABLES)		
예배 절차에 있어 형식의 정도 degree of formality	찬양시간의 길이 length of singing	예배 복장의 정도 dress code
성서본문인가 말씀(설교)인가? textual or oral	자발성의 유도(계획) planned spontaneity	봉헌(기부) financial offering
성가대의 역할 role of choir	찬양집 songbooks	영상 화면 video clips
참여에의 초대 invitation to join	악기들 musical instruments	
성찬의 횟수 frequency of communion		

제기되는 문제들 (ISSUES/PROBLEMS)		
전통에의 집착 tyranny of tradition	경험에 천착 tyranny of experience	문화에 종속 tyranny of culture
변화를 겁냄 fear of change	전통에 대한 압박감 fear of tradition	정체(停滯)에 대한 두려움 fear of stagnation
양식(樣式)의 결여 lack of style	내용의 빈약 lack of content	가벼움 lack of dept
신자(기성 교인)들 중심 believers only	초신자들 중심 hearers only	구도자들 중심 seekers only
염세적 too pessimistic	지나치게 낙관적 too optimistic	교육 의존적 too educational
형식에 치우침 too formal	지나친 형식 파괴 too informal	기획에 의존, 인위적 too choreographed
참여 participation	공연 performance	초대(연예적 요소) entertainment

본문에 집착 too textual	음악적 통전성의 결여 lack of musical integrity	참여도의 결여 lack of participation
새로운 양식에 대한 　정보 부재 ignorance of new styles	전통에 대한 무지(無知) ignorance of tradition	예배의 상용화(商用化), 　상품이미지 worship as commodity
문화에의 부적응 culturally irrelevant	문화에 종속 culturally bound	"예배"로 인정받지 못함 not "worship"
의존 또는 종속관계의 출현 creates dependence	의존 또는 종속관계의 출현 creates dependence	의존 또는 종속관계의 출현 creates dependence
내세적 otherworldly	실리(물질)적 materialistic	요구 의존적 too focused on needs
소그룹의 필요 needs small groups	소그룹의 필요 needs small groups	소그룹의 필요 needs small groups

부록 2

예배 양식(樣式)
WORSHIP STYLES

참여 ; 전통 지향 **PARTICIPATION** Tradition driven	공연 ; 심미적 / 계몽지향 **PERFORMANCE** Aesthetic / enlightenment driven	초대(즐김) ; 문화 지향 **ENTERTAINMENT** Culture driven
축하 (예전적, 아프리칸 – 아메리칸, 퀘이커 교도 예배) Celebration (liturgical, African American, Quaker)	자기 표현 (전통적 개신교예배) Self-expression (traditional Protestant worship)	구도자들과 연결 (대안적 구도자 예배) Connection with Seekers (alternative seeker)
공동 찬양과 기도 People's praise and prayer	인도자의 능력 Leader's performance	기술효과(스크린과 미디어) Technology's effect (screen and media's power)
참여의 강조 Values participation	공연 중심 Values performance	시대적 표현을 강조 Values contemporary expression

인도자가 집례하고 안내함 Leaders preside and prompts	인도자가 공연 Leaders perform	인도자가 분위기 주도 Leaders entertain

참여 유도
Performance enhances
  and prompts participation
	집중 유도(박수 등)
	Performance tends
	  to call attention to itself
	  (applause)
		듣고 집중하게 함
		Performance evokes
		  a hearing/attention

생수의 신비에 초점
Focuses on living water
  (mystery)
	두레박에 초점
	Focuses on the bucket
		생수의 실재성에 초점
		Focuses on living water
		  (anti-mystery)

예술은 말씀을 구체화
Arts embody the World
	공연자의 잠재적인 능력의 표현
	Arts express underlying
	  autonomy of performers
		말씀을 들을 준비
		Arts prepare hearers
		  for the Word

음악은 공동의 표현
Music as corporate
  expression
	공동과 인도자의 표현의 혼합
	Music as mix of
	  corporate and leader's
	  expression
		초대(연주)
		Music as entertainment

역사(役事)함으로 기쁨을 주는
복음
The gospel enacted and
  delighted in
	이해되는 복음
	
	The gospel understood
		듣고 생각하는 복음
		
		The gospel considered /
		  heared

의식과 삶의 변화를 기대 Consciousness and life transformed	인식의 고양 Awareness heightened	복음에의 첫 접촉 First hearing

예 배 를 확 바 꿔 라

문화적 관련성이 없는 참여로 일상적 삶과의 연결이 실패
 	
Danger : 위험성
  participation
  without relevance ; failure to
  connect with the daily life
	신앙의 활력을 제공해줄 참여가 없는 내용
	
	Danger :
	  content
	  without participation
	  that builds vital faith
		내용이나 참여가 없는 문화적 연관성
		
		Danger :
		  relevance
		  without content
		  or participation

하나님: 말씀과 성찬을 통해 주체이자 객체가 되심
 	
God is object and
  subject through
  Word and sacraments
	전통과 형식들을 통해 객체화
	
	God is the object
	  through tradition
	  and forms
		시대적인 어법과 미디어를 통해 객체화
		
		God is the object
		  through contemporary
		  idioms and media

담장이 있는 정원
 	
Image : 교회 건물의 일반적 이미지
  an enclosed garden
	중소도시의 예술 박물관
	
	Image :
	  art museum in midsize city
		유리거울로 세워진 포스트모던풍의 고층 건물
		
		Image :
		  postmodern high rise
		  made of mirrored glass

회중(교인들)의 선교(복음)적 과제(양육의 임무)의 구조
STRUCTURES OF A CONGREGATION'S
EVANGELISTIC TASK

"Go therefore and make disciples of all nations, baptizing them in the name of the Father and of the Son and of the Holy Spirit, and teaching them to obey everything that I have commanded you."(Matthew 28 : 19~20)

"그러므로 너희는 가서 모든 족속으로 제자를 삼아 아버지와 아들과 성령의 이름으로 세례를 주고 내가 너희에게 분부한 모든 것을 가르쳐 지키게 하라. 볼지어다. 내가 세상 끝날까지 너희와 항상 함께 있으리라 하시니라."(마태복음 28 : 19~20)

계단 (복음의 청취) STEPS (hearing)	현관 (검토하고 결정함) PORCH (testing and deciding)	입교 (세례) INITIATION (baptism)	하나님의 집 (일상에서의 사역) HOUSE (ministry in daily life)
	예비 교육 PRECATECHESIS	CATECHESIS 교육	
과제 Task	회심 전(前)단계 Preconversion	회심 Conversion	지속적 회심 Continuing conversion
	회중의 관심을 경청 복음의 해석 Listening to people interpreting the gospel	복음적인 삶을 살도록 하는 인격 형성 forming persons for living the gospel	

전략 Strategy	문화를 해석하고 연구함 Researching, interpreting and reaching the culture	일상에서의 사역을 위한 기독교 전통의 습득과 축하 Learning and celebrating the Christian tradition for ministry in daily life	
청중 Audience	구도자 Seekers	초신자 Hearers	(기존)신자 Believers
목적 Aim	첫 접촉 First hearing	회심 Conversion	완전한 참여 Full participation
하나님의 사역 God's Action	선행 은총 Prevenient grace	칭의 Justifying grace	성화 Sanctifying grace
방식 Mode	소개 presentation	교육 Instruction	참여 Participation
환경 Settings	예배 전(前)단계 Preworship ⇒구도자 예배 seeker services ⇒공중예배의 관찰 observer in public worship ⇒소그룹 small group	변혁의 예배 Transforming worship 제자들의 변혁을 위한 소그룹 & small groups for formation of disciples	변혁의 예배 Transforming worship 제자들의 지속적인 지원을 위한 소그룹 & small groups for continuing support of disciples

회심전 / 회심의 여정으로서의 입교 CHRISTIAN INITIATION AS A PRECONVERSION / CONVERSION JOURNEY				
단계 Stages	탐문 ↓ Inquiry	경청 ↓ Hearing	후보(예비 신자) ↓ Candidacy	통합 → Integration
예배 Services	환영 Welcome	세례에의 부름 Calling to baptism	세례 Baptism	

"믿음에 대해 적대적이거나 무관심한 문화 속에 살고 있는 사람들에게 다가가야 하는 선교적 상황에 처해 있는 교회에 있어 하나의 표준이 있다면 그것은 성인세례이다. 기독교 가정들을 위해서는 유아세례를 베푸는 한편, 현대사회에서 점점 주변으로 밀려나고 있는 교회의 상황을 위해서는 성인 개종자들을 복음화하고, 양육하며 세례를 베푸는 일에 더욱 관심을 기울여야 할 것이다.

"Adult baptism is the norm when the Church is in a missionary situation, reaching out to persons in a culture which is indifferent or hostile to the faith. While the baptism of infants is appropriate for Christian families, the increasingly minority status of the Church in contemporary society demands more attention to evangelizing, nurturing, and baptizing adult converts." (by Water and Spirit : A United Methodist Understanding of Baptism, p.13)

주

0. 들어가는 말

1) 테네시 내슈빌에 위치한 벨몬트 연합감리교회의 1991년 광고.
2) Annie Dillard, *Teaching a Stone to Talk* (New York : Harper and Row, 1982), 40.

I. 현대 예배의 세 가지 유형

1) 루터교, 개혁교, 감리교, 오순절 전통 내에서 예배의 변화를 잘 다룬 James White의 *Protestant Worship : Traditions in Transition* (Louisville : Westminster/John Knox, 1989)을 보라. 또한 세계 교회의 예전적 선택들에 관해서는 White의 *Introduction to Christian Worship*, rev. ed. (Nashville : Abingdon, 1990) 1장을 보라.
2) James White, *Protestant Worship*, 209.
3) Ibid., 212.
4) Dan Benedict and Craig Miller, *Contemporary Worship for the Twenty-First Century* (Nashville : Discipleship Resources, 1994). 이 책은 세 가지 예배 유형을 묘사, 비판한 가장 좋은 자료다.
5) 참여, 공연, 초대(entertainment) 라는 범주는 부록 2에서 Dan Benedict에 의해

잘 묘사되어 있다. 공연 중심의 예배와 참여 중심의 예배라는 다른 묘사가 리더십 네트워크의 넷 팩스 번호 54 (1996년 9월 16일)에서 발견된다.

6) 부록 3을 보면 예배의 세 유형과 관련된 '신앙 양육(복음화) 과정'의 구조가 묘사되어 있다.

7) 성인이 교회의 일원이 되는 감리교 모델은 Dan Benedict, *Come to the Waters : Baptism and Our Ministry of Welcoming Seekers and Making Disciples* (Nashville : Discipleship Resources, 1996)에 나와 있다.

8) Charles Trueheart는 "Welcome to the Next Church," *Atlantic*, August 1996, 37~58에서 이 새로운 공동체들에 관해 잘 묘사하고 있다.

9) 대중적 기독교 현대 음악의 모음으로 Andy Langford 등이 편집한 *Abingdon/ Cokesbury Chorus Book* ! (Nashville : Abingdon, 1996)을 보라. 이 모음집은 예전적 교회들이 현대 음악들을 전통적 예전 속에 통합시키는 것을 가능하게 만든다. 이 시리즈의 다음 권들도 조만간 나올 예정이다.

10) 더 자세한 것은 이 예배들이 최하의 공통분모에 호소한다고 비판하는 Marva Dawn의 *Reaching Out Without Dumbing Down* (Grand Rapids : Zondervan, 1995)와 역으로 새로운 사람들에게 예수 그리스도를 전하는 데 찬양 예배의 가치를 두는 Sally Morgenthaler의 *Worship Evangelism* (Grand Rapids : Zondervan, 1995)을 보라.

11) George Hunter, *Church for the Unchurched* (Nashville : Abingdon, 1996), 71.

12) Rick Warren, "Worship Can Be a Witness," *Worship Leader* 6 (January– February 1997), 28.

2. 현대 예배의 기원

1) *The United Methodist Hymnal : Book of United Methodist Worship*

(Nashville : United Methodist Publishing House, 1989) 역시 얼마간의 음악과 주석들에 대한 보충서적들을 갖고 있다. *The United Methodist Book of Worship* (Nashville : United Methodist Publishing House, 1992)은 부속판과 주석들을 갖고 있다.

연합감리교회 찬송가와 예배서에 대한 논의와 실제적인 사용 방법들을 위해 다음의 애빙돈 출판물들을 보라 : *The Worship Resources of The United Methodist Hymnal*, Hoyt L. Hickman, volume editor, 1989; *The Hymns of The United Methodist Hymnal*, Diana Sanchez, volume editor, 1989; *Blueprints for Worship : A User's Guide for United Methodist Congregation*, Andy Langford, 1993; and *Companion to The United Methodist Hymnal*, Carlton R. Young, 1993.

2) *Mil Voces Para Celebrar : Himnario Metodista* (Nashville : United Methodist Publishing House, 1996)은 연합감리교회의 공식적인 스페인어 찬송가다. 스페인어와 다른 모든 언어의 찬송가와 예배서는 많은 부분이 영어 예식서에 근거하고 있으면서도 특정한 문화적 특성을 갖는다.

3) 비슷한 결정을 반영하는 다른 교단에서의 예를 위해 1978 *Lutheran Book of Worship*, the 1985 *Book of Alternative Services* of the Anglican Church of Canada, the 1986 *Book of Worship of the United Church of Christ*, the 1987 *Thankful Praise* of the Disciples of Christ, and the Presbyterian Church (U.S.A.) and Cumberland Presbyterian Church 1993 *Book of Common Worship*을 보라.

4) 열정적인 예배를 루터교의 시각에서 아주 부정적으로 비판한 Frank C. Senn, "'Worship Alive' : An Analysis and Critique of 'Alternative Worship Service,'" *Worship* 69 (May 1995) : 194~224를 보라. 센의 분석이 갖는 단점은 대안적 예배들 간에 어떠한 차이도 두지 않는다는 점이다.

5) Charles G. Finney, *Lectures on the Revivals of Religion* (1835; reprint, ed. William G. McLoughlin, Cambridge, Mass : Belknap, 1960).

6) James White, *Protestant Worship*: *Traditions in Transition* (Louisville: Westminster/ John Knox, 1989), 210.

3. 세대간의 문화 전쟁

1) Craig Miller, *Baby Boomer Spirituality* (Nashville : Discipleship Resources, 1992)는 이 세대와 이 세대가 맺는 하나님과의 관계를 잘 소개해준다. Lee Strobel of Willow Creek in *Inside the Mind of Unchurched Harry and Mary* (Grand Rapids : Zondervan, 1993) 역시 그들과 교회의 관계를 묘사한다. Tim Wright in *A Community of Joy* (Nashville : Abingdon, 1994)도 이 특정한 세대에 대한 통찰과 예배에 미치는 영향을 기술한다. 읽을 가치가 있는 다른 책들로는 Dean Hoge et al.의 *Vanishing Boundaries* (Louisville : Westminster/ John Knox, 1994)와 Wade Clark Roof의 *A Generation of Seekers* (San Francisisco : Harper, 1994) 등이 있다.

2) X세대를 묘사하는 책으로 Craig Miller의 *Post Moderns* : *The Beliefs, Hopes, and Fears of Young Americans* (Nashville : Discipleship Resources, 1997); George Barna의 *Baby Busters* : *Disillusioned Generation* (Chicago : Northfield, 1994); Tim Celek과 Dieter Zander의 *Inside the Soul of the Next Generation* (Grand Rapids : Zondervan, 1996); Bill Strauss와 Neil Howe의 *Thirteenth Gen* : *Abort, Retry, Ignore, Fall?* (New York : Random, 1993) 등이 있다.

3) Gerge Hunter, *Church for the Unchurched* (Nashville : Abingdon, 1996), 24와 이 책 전체를 통해 헌터는 새로운 세대들을 선교의 장으로 이해하려는 시도 속에서 그들을 비기독교인 (pre-Christian)이라고 설명한다.

4) 1995년 5월, 북 캐롤라이나의 저널러스카 호수에서 열린 현대 예배 세미나 노트. 웨버는 찬양 예배 인도자들을 위한 예전적 예배와 예전적 회중들을 위한 혼합 예

예 배 를 확 바 꿔 라

배에 관한 최고의 해석가들 중 하나다. 최근에 나온 그의 책 *Planning Blended Worship : The Creative Mixture of Old and New* (Nashville : Abingdon, 1998)을 보라.

5) Wade Clark Roof, "The Changing American Religious Landscape and Implications for Ritual," paper at a meeting of the North American Academy of Liturgy in January 1994. 그의 책 *A Generation of Seekers*를 보라.

6) Wright의 책 *A Community of Joy : How to Create Contemporary Worship* (Nashville, Abingdon, 1994)을 보라.

7) "Historical Blends Intellect, Curiosity, Stamina," *Charlotte Observer*, January 21, 1995, 5에 보고된 Martin Marty와의 인터뷰에서.

8) Susan White, *Christian Worship and Technological Change* (Nashville : Abingdon, 1994), 125에 인용된 Gregor Goethals, *The TV Ritual : Worship at the Video Altar* (Boston : Beacon, 1981), 143~144.

4. 은혜의 통로로서의 예배

1) 그림에 관한 석판인쇄가 발견되었을 때 *The Wyandot Indian Mission*에 관해 해설해 놓은 1919년의 신문에서 인용.

2) 북미 감리교인들을 위한 웨슬리의 예전에 관해서는 *John Wesley's Prayer Book : The Sunday Service of the Methodists in North America*, ed. James F. White (Cleveland : OSL Publications, 1991)를 보라. 이 책은 새로운 나라에서 새로운 문화와 필요 속에서 살아가는 새로운 사람들을 위해 웨슬리가 영국 국교의 *The Book of Common Prayer*를 개정한 예배서다.

3) *The Works of John Wesley*, ed. Thomas Jackson (1831; reprint, Grand rapids : Zondervan, 1959), 5:187~188. 웨슬리는 제정된 다섯 가지 은혜의 통

로를 하나님의 말씀, 성만찬, 기도, 기독교인의 모임(Christian Conference), 금식으로 규정한다. 나는 성만찬이 세례를 포함한다고 본다. 웨슬리 당시, 대부분의 사람들은 유아세례를 받았고, 성인이 되어 세례를 받는 경우는 극히 드물었다. 그러나 "세례에 관하여"라는 웨슬리의 설교는 세례가 확실한 은혜의 통로임을 분명히 한다. 웨슬리의 신학 속에서 복잡하게 등장하는 기독교인의 모임이라는 용어는 이 책에서 공동체의 교제(fellowship)로서 묘사된다. 개인적이고 사적인 특성으로 인해 금식은 논외로 한다.

4) *The Letters of John Wesley*, ed. John Telford (London : Epworth, 1931), 3:366~367.

5) Adrian Burdon, "'Till in Heaven……' Wesleyan Models for Liturgical Theology" in *Worship* 71 (1997) : 313. 이 글은 존 웨슬리의 예전적 사고의 다양한 측면들을 묘사한다.

6) 존 웨슬리의 신학과 그의 종교적 후계자들의 신학에 대한 개론적 이해를 위해 Thomas A Langford의 *Practical Divinity : Theology in the Wesleyan Tradition*, rev.ed., 2vols. (Nashville : Abingdon, 1998~99)를 보라.

7) 이 주제에 관해 Thomas A Langford Ⅲ, "The Means of Grace : Worship in the Wesleyan Tradition" (Master's thesis, Emory University, 1982)과 *Blueprints for Worship* (Nashville : Abingdon, 1993)과 같이 웨슬리의 은혜의 통로를 현재의 교회 생활과 연결시킨 다른 책들을 보라.

8) 아르미니안(웨슬리안)과 칼빈주의자들 사이의 차이는 인간의 본성에 대한 그들의 이해가 근본적으로 다르기 때문에 생긴다. 칼빈주의자들과 웨슬리안들은 원죄, 대가 없이 주어지는 하나님의 은혜, 신앙에 의한 칭의, 성경의 중심성 등의 교리에 동의한다. 이 둘은 모두 예배가 사람들로 하여금 언행의 변화를 가져오도록 하나님 스스로가 인간과 교통하는 것이라는 데 의견을 같이한다. 아주 다른 점은 하나님의 구원 역사(work) 속에서 인간의 반응이 어떤 역할을 하는가이다. 타락으로 인해, 칼빈주의자들은 인간의 자유로운 응답을 부인한다. 사람들이 말씀을 듣든지 말든지는 전적으로 하나님께 달린 일이다. 기능적으로 칼빈주의자들은 그리스도를

설교한 후, 구원을 위해 하나님이 미리 결정하신 선택받은 자들을 하나님께서 구원하신다고 믿는다. 이 관점 때문에, 존 칼빈은 그의 경력의 대부분을 제네바에서 같은 공동체에 늘 모이는 똑같은 사람들에게 설교하며, 방대한 성경 주석서를 쓰며 보냈다. 이 모든 것은 하나님의 절대주권에 대한 신뢰와 긍정이었다.
Geoffrey Wainwright on Wesley and Calvin : Sources for Theology, Liturgy, and Spirituality (Australia : Joint Board of Christian Education of Australia and New Zealand, 1989)는 이 두 신학 사이의 차이점과 그들이 예배에 미치는 함의적 영향을 철저하게 다룬다.

9) 루터교 예배서(Lutheran Book of Worship)로만 예배드리는 것을 반대하며, 현대적 스타일 속에서의 루터교 예배를 열심히 변호하는 David Luecke, The Other Story of Lutherans at Worship : Reclaiming Our Heritage of Diversity (Tempe, Ariz. : Fellowship Ministries, 1995)를 보라.

10) Book of Concord, trans. and ed. Theodore G. Tappert (Philadelphia : Muhlenberg Press, 1959), 612.

11) Article 15 of the Articles of Religion as found in John Wesley's Prayer Book, ed. James White, 311.

12) Susan White, Christian Worship and Technological Change (Nashville : Abingdon, 1994), 128, quoting Raymond Fosdick, "The Atomic Age and the Good Life" from Within Our Prayer : Perspectives for a Time of Peril (New York : Longman's, 1952), 70.

5. 풍성한 예배 : 예배의 우선순위

1) 교회는 항상 예배가 신앙을 반영한다고 이해했다. 이런 이해에 대한 전통적인 공식화는 5세기 Prosper of Aquitaine(평신도 수도승이었다 : 역자 주)가 말한 "기도의 법이 신앙의 법을 결정한다(Ut legem credendi, lex statuat supplicandi)"

에서 기인한다. 이 말은 종종 "기도의 법, 신앙의 법(Lex orandi, lex credendi)," 즉 우리가 기도하는 것이 우리가 믿는 것이라는 뜻으로 줄여 읽는다.

2) D.T. Niles, "Ventite Adoremus II," in *World's Student Christian Federation Prayer Book* (1938), 105~106.

6. 예배의 네 가지 근본 요소

1) *The Revised Common Lectionary* (Nashville : Abingdon, 1992)는 개론적 설명과 함께 교회력을 위한 전체 캘린더와 봉독할 말씀을 포함한다. "The Revised Common Lectionary 1992 : A Revision for the Next Generation" by Andy Langford in *Quarterly Review* 13 (Summer 1993) : 37~48은 성서일과에 대한 개관을 제공한다.

2) 세례와 그 의미에 관한 연합감리교회의 공식적인 관점을 알기 위해서는 *By Water and the Spirit : Making Connections for Identity and Ministry* by Gayle Carlton Felton (Nashville : Discipleship Resources, 1997)을 보라. 이는 연합감리교회가 처음으로 그들의 성례전적이고 복음적인 세례 신학을 분명하게 밝힌 것이다.

7. 새로운 예배와 혼합 예배

1) Ed Dobson, *Starting a Seeker-Sensitive Service* (Grand Rapids : Zondervan, 1993)은 새로운 예배를 시작하기 위해 참고할 수 있는 최고의 책이다. 그는 새로운 사람을 위해 새로운 예배를 시작하는 기쁨과 비용, 상처들을 묘사한다. Elmer Towns, *How to Go to Two Services* (Forest, Va. : Church Growth Institute)는 이 주제에 관한 비디오 자료다.

예 배 를 확 바 꿔 라

2) 이 혼합 모델은 앨라배마의 몽고메리에 있는 프래지어 기념 연합감리교회(Frazier Memorial United Methodist Church)와 같은 얼마간의 성장하는 주류 교회들 속에서 발견된다. TV에서 여러 번 방영된 이 예배는 구도자 친화적인 설교 예배 라고 부를 수 있다.

3) 오하이오의 데이튼 외곽에 위치한 깅햄스버그 연합감리교회(Ginghamsburg United Methodist Church)에서 마이클 슬러터(Michael Slaughter)는 구도자 친화적인 하이테크 찬양 예배를 드린다. 본당에서는 비디오 스크린을 중심으로 여섯 대의 신디사이저와 다른 악기들이 예배를 인도한다. 그러나 깅햄스버그의 교인들은 그들의 네 번의 찬양 예배에서 다시 찬송가들을 사용하기 시작했다.

예배를 확 바꿔라

　초판 1쇄　2005년 11월　1일
　　　6쇄　2017년　6월 21일

앤디 랑포드 지음
전병식 옮김

발 행 인 | 전명구
편 집 인 | 한만철

펴 낸 곳 | 도서출판 kmc
등록번호 | 제2-1607호
등록일자 | 1993년 9월 4일
　　　　　(03186) 서울특별시 종로구 세종대로 149 감리회관 16층
　　　　　(재)기독교대한감리회 출판국
대표전화 | 02-399-2008　팩스 | 02-399-4365
홈페이지 | http://www.kmc.or.kr

디자인·인쇄 | 밀알기획(02-335-6579)

값 10,000원
ISBN 89-8430-286-4　03230